Chiapas

D1194642

Historia y Geografía *Tercer grado*

Chiapas. Historia y Geografía. Tercer grado

Autores
Salvador Gómez Moreno, José Francisco Nigenda Pérez,
David Gallegos Gallegos, Omar Armando Carrillo Tamayo,
Jorge González Juárez, Carlos Javier Trejo Ochoa,
Miguel Ángel Chávez Baizabal, Cristóbal Esaú Espinosa Moreno,
José Domínguez Monzón, José Gilberto Aguilar García,
Felipe Presenda Naranjo, Fredy Ovando Grajales

Apoyo institucional
Las autoridades y la Coordinación Técnico-Pedagógica de los
Servicios Educativos del Gobierno del estado de Chiapas

Supervisión técnica y pedagógica
Subsecretaría de Educación Básica y Normal
de la Secretaría de Educación Pública

Diseño gráfico
Víctor Humberto Niño Interiano
Víctor Eugenio Ruiz Gómez

Dibujo
Belsay Horacio Macías Rosales

Portada
Diseño: Comisión Nacional de los Libros de Texto Gratuitos
Ilustración: Templo de las Inscripciones,
Palenque, Chiapas
Reproducción autorizada: Gobierno del estado
Fotografía: Javier Hinojosa

Primera edición, 1995
Primera edición revisada, 1996
Primera reimpresión, 1997
Segunda edición revisada, 1998
Primera reimpresión, 1999
Segunda reimpresión, 1999
Tercera reimpresión, 2000
Ciclo escolar 2001-2002

D.R. © Ilustración de portada: Javier Hinojosa
D.R. © Secretaría de Educación Pública, 1995
Argentina 28, Centro,
06020, México, D.F.

ISBN 968-29-6013-4

Impreso en México
DISTRIBUCIÓN GRATUITA-PROHIBIDA SU VENTA

PRESENTACIÓN

Este nuevo libro de texto gratuito tiene como propósito que las niñas y los niños que cursan el tercer grado de la educación primaria conozcan mejor la historia y la geografía de la entidad federativa en la cual viven: su pasado y sus tradiciones, recursos y sus problemas.

El plan de estudios de educación primaria elaborado en 1993, otorga gran importancia al conocimiento que el niño debe adquirir sobre el entorno inmediato: la localidad, el municipio y la entidad. Este aprendizaje es un elemento esencial de aprecio y arraigo en lo más propio, y ayuda a que los niños se den cuenta de que nuestra fuerte identidad como nación se enriquece con la diversidad cultural, geográfica e histórica de las regiones del país.

Este libro es el resultado de la colaboración entre la Secretaría de Educación Pública y el Gobierno del estado de Chiapas y ha sido escrito por maestros y especialistas residentes en la entidad. Es, por lo tanto, una expresión de federalismo educativo, establecido en la Ley General de Educación.

Con la renovación de los libros de texto, se pone en marcha un proceso de perfeccionamiento continuo de los materiales de estudio para la escuela primaria. Cada vez que la experiencia y la evaluación lo hagan recomendable, los libros del niño y los recursos auxiliares para el maestro serán mejorados, sin necesidad de esperar largo tiempo para realizar reformas generales.

Para que las tareas tengan éxito, son indispensables las opiniones de los maestros y de los niños que trabajan con este libro, así como las sugerencias de madres y padres de familia que comparten con sus hijos las actividades escolares. La Secretaría de Educación Pública necesita sus recomendaciones y críticas.

Estas aportaciones serán estudiadas con atención y servirán para que el mejoramiento de los materiales educativos sea una actividad sistemática y permanente.

ÍNDICE

En este libro observarás que hay dos figuras que se repiten constantemente. *Un niño leyendo* te dará la información necesaria para tu aprendizaje; *la mano escribiendo* te indica que realices una actividad o un ejercicio. ¡ No lo olvides !

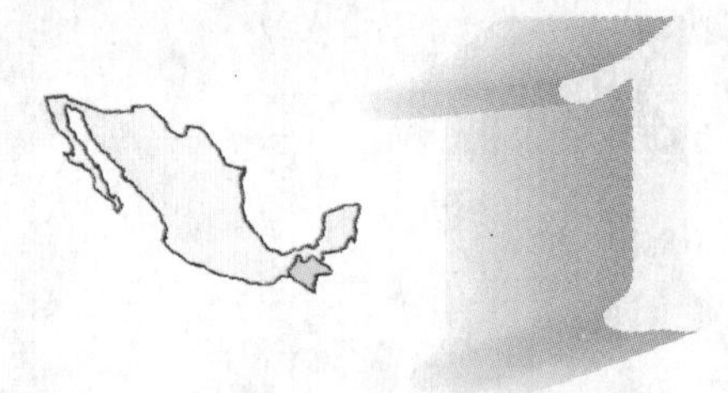

MI ENTIDAD EN MÉXICO

LA ENTIDAD COMO PARTE DE LA REPÚBLICA MEXICANA

¿QUÉ ES UNA ENTIDAD FEDERATIVA?

Todas las personas que nacimos en Chiapas, Tabasco, Oaxaca, Veracruz u otra *entidad* federativa, somos mexicanos; pero, por el lugar donde nacimos también somos: chiapanecos, tabasqueños, oaxaqueños, veracruzanos, según sea la entidad federativa o estado al que pertenezcamos.

Te preguntarás ¿por qué somos mexicanos? Porque todos estos lugares y personas forman parte de México. Su nombre oficial es: Estados Unidos Mexicanos, integrado por treinta y un estados y un Distrito Federal. ¡Cuéntalos, verás que son 32!

¡ÉSTE ES EL MAPA DE MÉXICO!

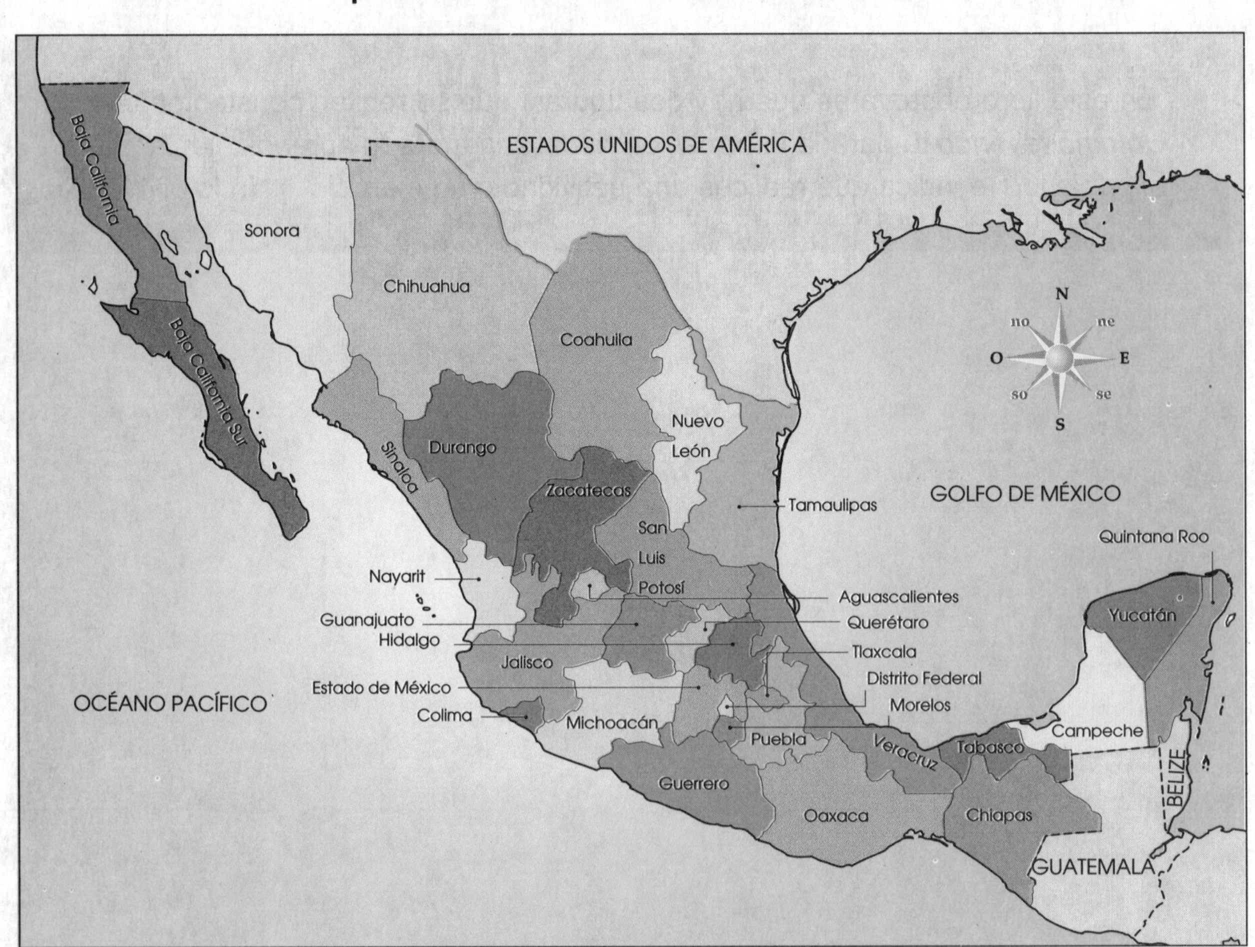

México y las entidades que lo integran.

En el mapa anterior puedes observar que México está formado por entidades federativas.

Estas entidades acordaron mantenerse unidas, respetarse, ayudarse y defenderse. Así formaron una organización llamada *Federación*. Por ello nos une, entre otras cosas, una misma bandera, un mismo himno, las mismas leyes y nuestro escudo nacional.

Entidad federativa es cada una de las partes que integran la República Mexicana. Chiapas es una entidad federativa.

ORIGEN Y SIGNIFICADO DEL NOMBRE DE NUESTRA ENTIDAD

¿Te has preguntado por qué tu entidad se llama Chiapas?

El nombre de Chiapas viene de la palabra *Chiapan*, nombre que tuvo la ciudad más importante de los chiapanecas, uno de los grupos indígenas que habitaban la entidad antes de la llegada de los españoles. Chiapan significa en lengua náhuatl *lugar donde crece la chía*. Ésta es una planta que da un fruto comestible.

Panorámica actual. Chiapa de Corzo.

Cuando los españoles fundaron las dos primeras ciudades en nuestra entidad, las llamaron Chiapa de los Indios, hoy Chiapa de Corzo, y Villa Real de Chiapa de los Españoles, después conocida como Ciudad Real, actualmente San Cristóbal de las Casas. A partir de entonces, la entidad fue conocida con el nombre de Las Chiapas y, finalmente, Chiapas.

Panorámica actual. San Cristóbal de las Casas

Chiapan se llamó la ciudad de los chiapanecas.
El nombre de Chiapas proviene de esa antigua ciudad.

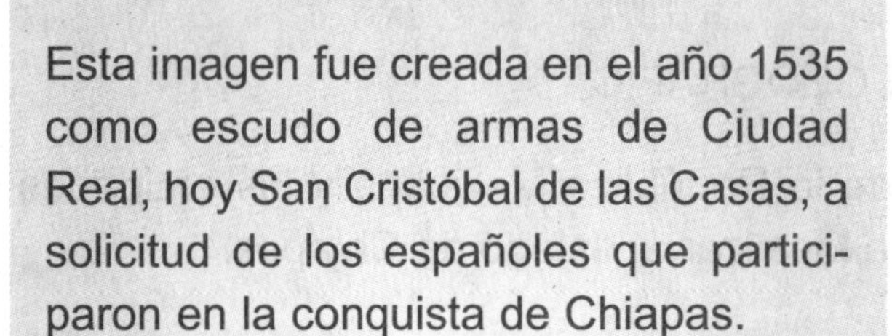

ORIGEN Y SIGNIFICADO DEL ESCUDO DE CHIAPAS

¡Éste es el escudo de Chiapas!

Esta imagen fue creada en el año 1535 como escudo de armas de Ciudad Real, hoy San Cristóbal de las Casas, a solicitud de los españoles que participaron en la conquista de Chiapas.

El escudo **evoca** el lugar donde se dieron las batallas más difíciles entre los conquistadores y los guerreros chiapanecas.

Los leones, el castillo y la corona representan además del poder, la autoridad en ese tiempo del rey Carlos V de España.

A partir del año 1892, esta imagen fue tomada como escudo de nuestra entidad federativa.

- Calca en una hoja de papel el escudo de Chiapas y coloréalo.
- Sugiere a tu profesor que los escudos iluminados se exhiban en la escuela.

UBICACIÓN DEL ESTADO DE CHIAPAS EN LA REPÚBLICA MEXICANA

LOCALIZACIÓN GEOGRÁFICA

En la lección anterior conociste el mapa de la República Mexicana y las entidades federativas que la forman. Ahora vamos a localizar al estado de Chiapas.

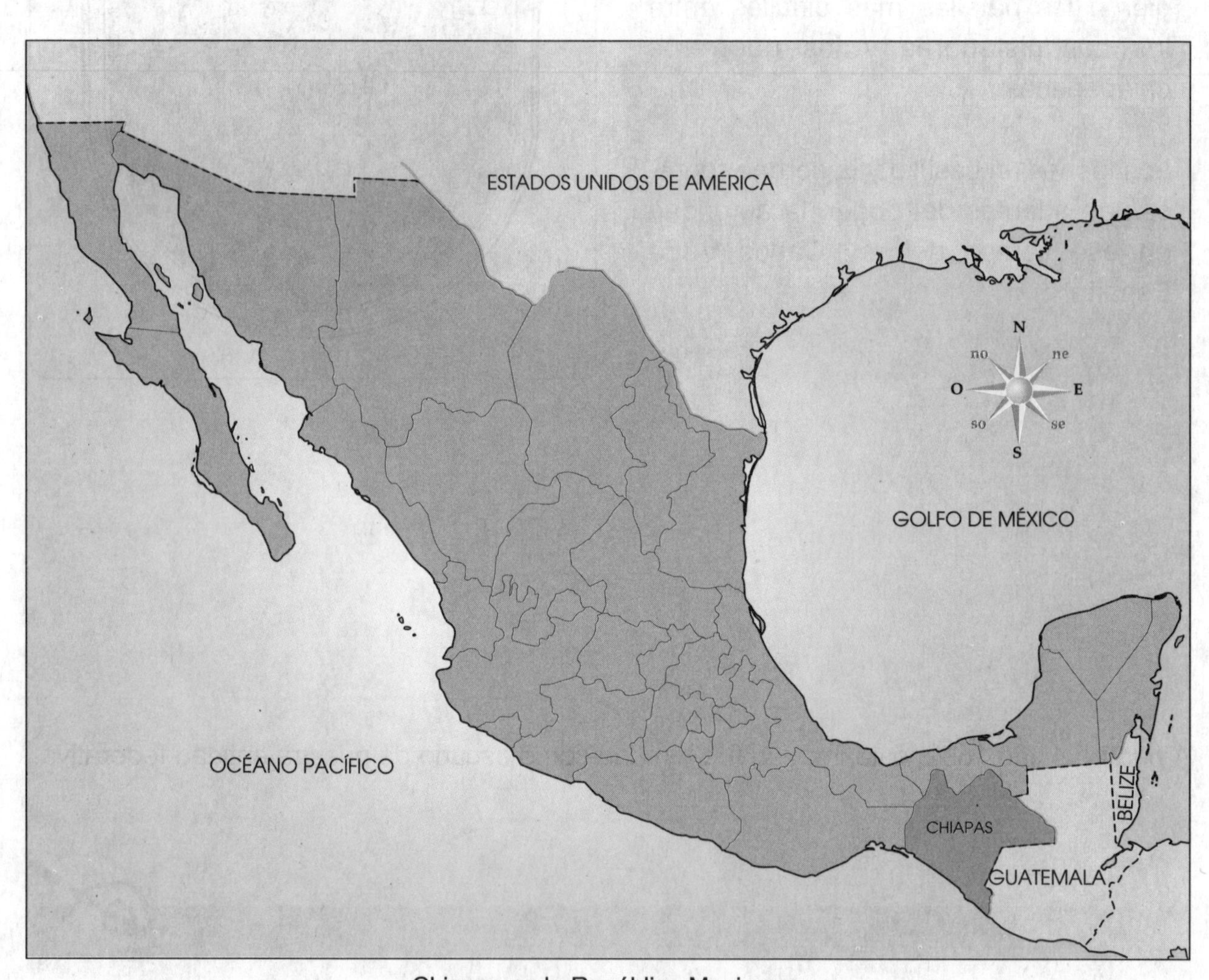

Chiapas en la República Mexicana.

Debes saber que para localizar en un mapa una ciudad, una entidad o un *país*, es necesario conocer los **puntos cardinales** para orientarnos. Los puntos cardinales también sirven para orientarnos y son: *norte, sur, este y oeste*.

- En el mapa anterior localiza los puntos cardinales.
  Te habrás dado cuenta que el norte está arriba del mapa, entonces, ¿en dónde está el sur? ______________________________.
  Habrás notado que el este se localiza a la derecha; y el oeste, ¿dónde está? ____________________________.

¡Hagamos otro ejercicio de localización!

- ¿Qué país se encuentra al *norte* de la República Mexicana? _________________.
- Por la forma de nuestro país, el Océano Pacífico se localiza en el *oeste* y en el ___________________ de la República Mexicana.
- Al *este* se localiza el Golfo de México.
- Guatemala y Belize son países que se encuentran entre dos puntos cardinales. Menciónalos: __________________ y__________________.
- El estado de Chiapas se localiza al _________________________ de la República Mexicana.

El estado de Chiapas se localiza entre el sur y el este de la República Mexicana.

LÍMITES DEL ESTADO

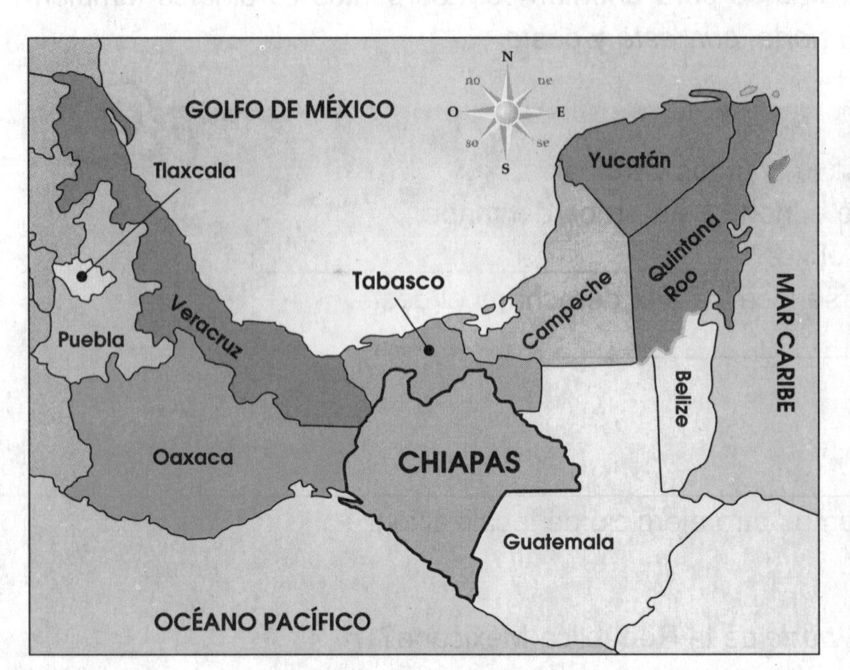

Límites del estado de Chiapas.

En la lección anterior estudiaste que Chiapas y las demás entidades forman parte de la República Mexicana. Ahora sabrás que Oaxaca, Veracruz y Tabasco, al igual que Guatemala y el Océano Pacífico, son los límites de nuestra entidad.

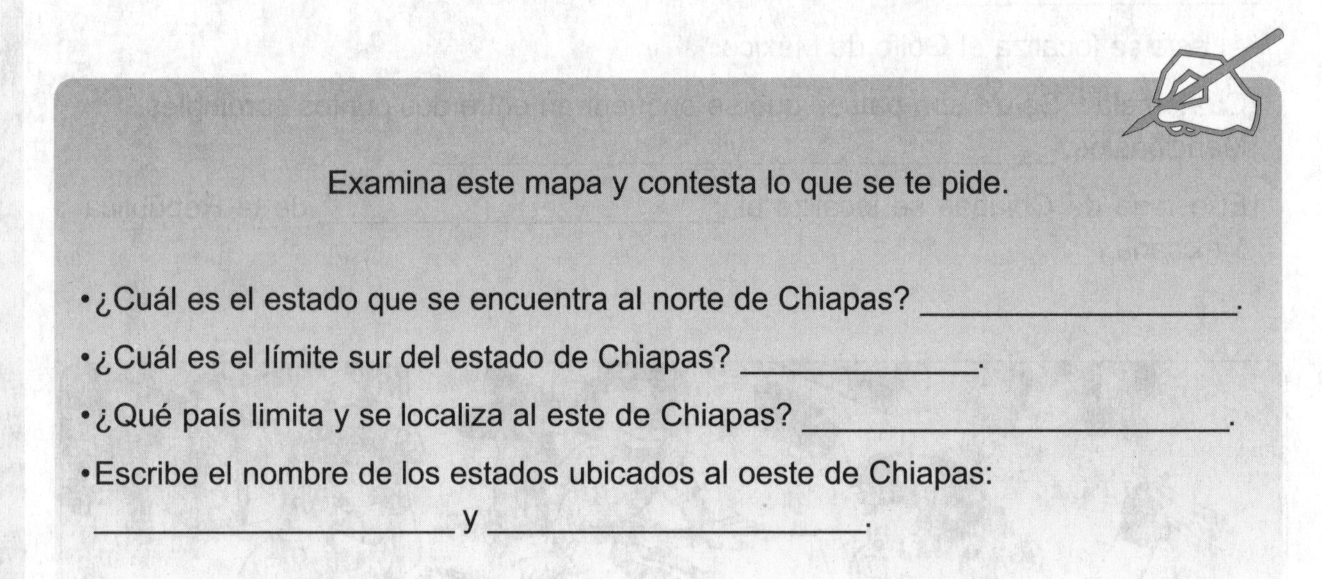

Examina este mapa y contesta lo que se te pide.

- ¿Cuál es el estado que se encuentra al norte de Chiapas? _________________.
- ¿Cuál es el límite sur del estado de Chiapas? _____________.
- ¿Qué país limita y se localiza al este de Chiapas? ______________________.
- Escribe el nombre de los estados ubicados al oeste de Chiapas:
  ____________________ y ____________________.

Los límites de Chiapas son: los estados de Oaxaca, Veracruz y Tabasco; Guatemala y el Océano Pacífico.

EXTENSIÓN TERRITORIAL Y COMPARACIÓN CON OTRAS ENTIDADES

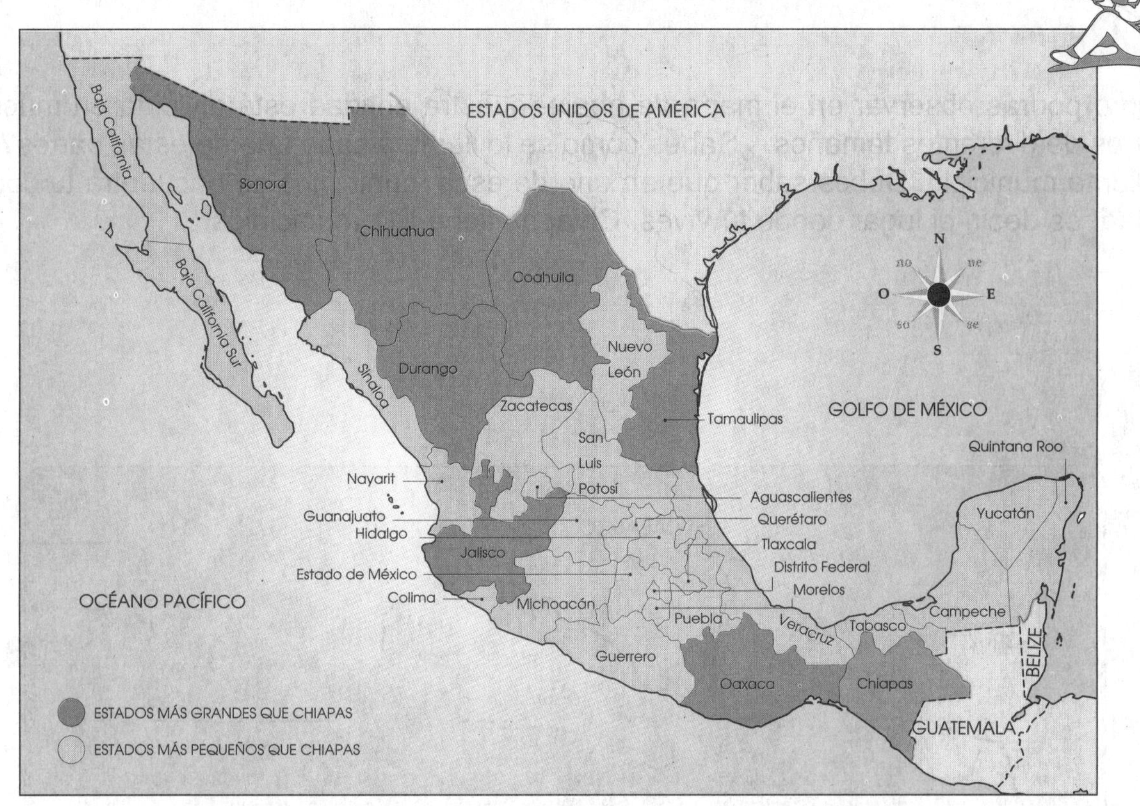

Comparación de la extensión de Chiapas con otras entidades.

Ahora realiza lo siguiente:

- Calca el mapa de la página 10.
- Recórtalo en su contorno.
- Pégalo en un cartón o cartoncillo y vuelve a recortarlo.
- Enseguida, recorta cada una de las siguientes entidades: Chihuahua, Sonora, Coahuila, Durango, Oaxaca, Tamaulipas, Jalisco y Chiapas. Consulta el mapa de la página 6.
- Invita a tres o cuatro compañeros y jueguen al rompecabezas; revuelvan los recortes de todos y que cada uno arme su mapa.
- ¿Te fijaste que no todos los estados tienen el mismo tamaño? Hay siete estados más grandes que Chiapas.
- De los estados vecinos de Chiapas, ¿cuál es el más grande y cuál el más pequeño?

Al tamaño que tiene o al espacio que ocupa una entidad, se le llama extensión territorial.

DIVISIÓN POLÍTICA DE LA ENTIDAD

Como podrás observar en el mapa de abajo, nuestra entidad está dividida en muchas partes de diferentes tamaños. ¿Sabes cómo se le llama a cada una de estas partes? Se le llama municipio. Debes saber que en uno de esos municipios se encuentra tu comunidad, es decir, el lugar donde tú vives. Chiapas tiene 111 municipios.

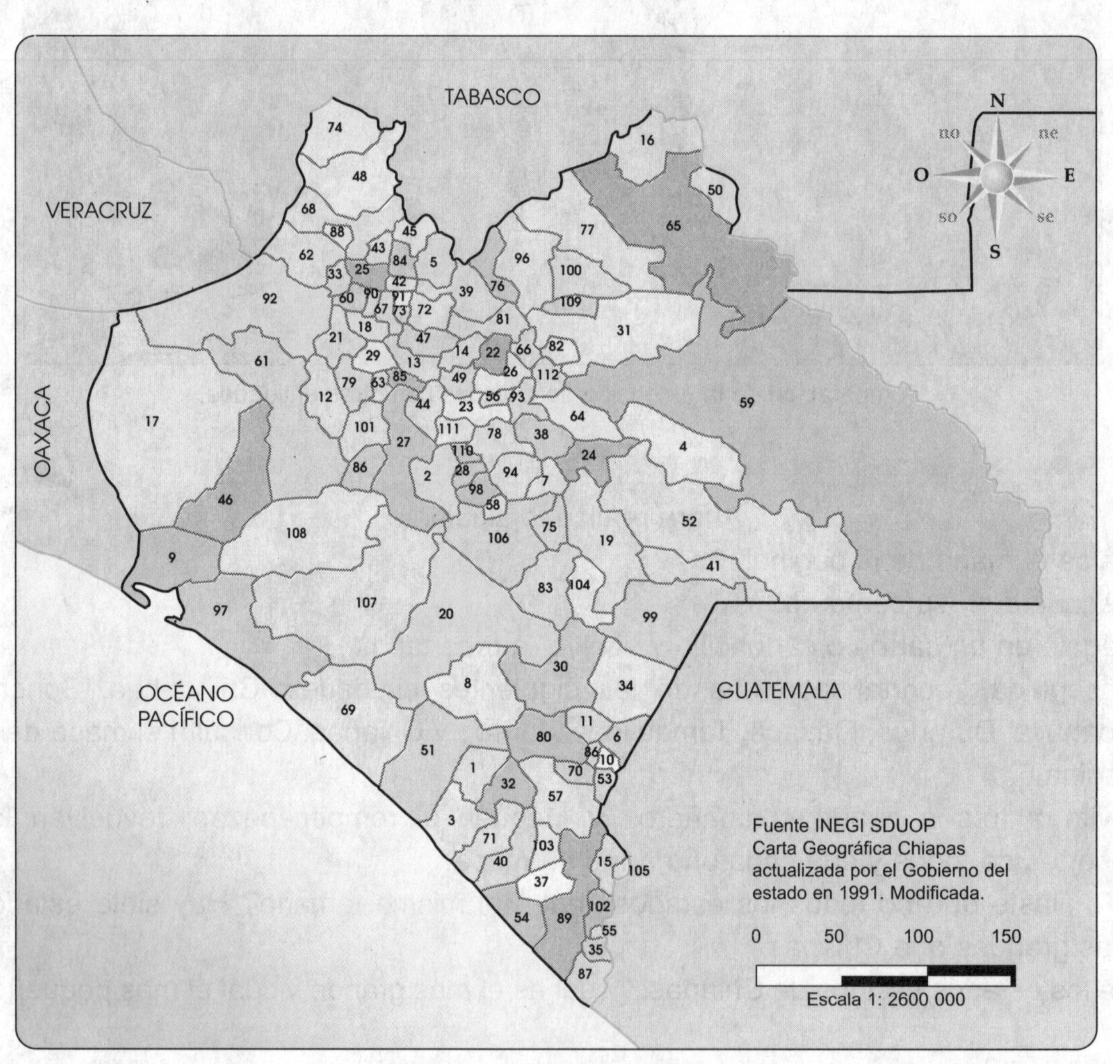

Chiapas y sus municipios.

CHIAPAS Y SUS MUNICIPIOS

1 ACACOYAGUA
2 ACALA
3 ACAPETAHUA
4 ALTAMIRANO
5 AMATÁN
6 AMATENANGO DE LA FRONTERA
7 AMATENANGO DEL VALLE
8 ÁNGEL ALBINO CORZO
9 ARRIAGA
10 BEJUCAL DE OCAMPO
11 BELLA VISTA
12 BERRIOZÁBAL
13 BOCHIL
14 EL BOSQUE
15 CACAHOATÁN
16 CATAZAJÁ
17 CINTALAPA
18 COAPILLA
19 COMITÁN
20 LA CONCORDIA
21 COPAINALÁ
22 CHALCHIHUITÁN
23 CHAMULA
24 CHANAL
25 CHAPULTENANGO
26 CHENALHÓ
27 CHIAPA DE CORZO
28 CHIAPILLA
29 CHICOASÉN
30 CHICOMUSELO
31 CHILÓN
32 ESCUINTLA
33 FRANCISCO LEÓN
34 FRONTERA COMALAPA
35 FRONTERA HIDALGO
36 LA GRANDEZA
37 HUEHUETÁN
38 HUIXTÁN
39 HUITIUPÁN
40 HUIXTLA
41 LA INDEPENDENCIA
42 IXHUATÁN
43 IXTACOMITÁN
44 IXTAPA
45 IXTAPANGAJOYA
46 JIQUIPILAS
47 JITOTOL
48 JUÁREZ
49 LARRÁINZAR
50 LA LIBERTAD
51 MAPASTEPEC
52 LAS MARGARITAS
53 MAZAPA DE MADERO
54 MAZATÁN
55 METAPA
56 MITONTIC
57 MOTOZINTLA
58 NICOLÁS RUIZ
59 OCOSINGO
60 OCOTEPEC
61 OCOZOCOAUTLA
62 OSTUACÁN
63 OSUMACINTA
64 OXCHUC
65 PALENQUE
66 PANTELHÓ
67 PANTEPEC
68 PICHUCALCO
69 PIJIJIAPAN
70 EL PORVENIR
71 VILLA COMALTITLÁN
72 PUEBLO NUEVO SOLISTAHUACÁN
73 RAYÓN
74 REFORMA
75 LAS ROSAS
76 SABANILLA
77 SALTO DE AGUA
78 SAN CRISTÓBAL DE LAS CASAS
79 SAN FERNANDO
80 SILTEPEC
81 SIMOJOVEL
82 SITALÁ
83 SOCOLTENANGO
84 SOLOSUCHIAPA
85 SOYALÓ
86 SUCHIAPA
87 SUCHIATE
88 SUNUAPA
89 TAPACHULA
90 TAPALAPA
91 TAPILULA
92 TECPATÁN
93 TENEJAPA
94 TEOPISCA
96 TILA
97 TONALÁ
98 TOTOLAPA
99 LA TRINITARIA
100 TUMBALÁ
101 TUXTLA GUTIÉRREZ
102 TUXTLA CHICO
103 TUZANTÁN
104 TZIMOL
105 UNIÓN JUÁREZ
106 VENUSTIANO CARRANZA
107 VILLA CORZO
108 VILLAFLORES
109 YAJALÓN
110 SAN LUCAS
111 ZINACANTÁN
112 SAN JUAN CANCUC

Nota: El municipio número 95 TERÁN, oficialmente desapareció y pasó a formar parte del municipio 101 TUXTLA GUTIÉRREZ.

¡Te invitamos a jugar! Haz equipo con un compañero y jueguen a buscar algunos municipios. ¿Qué municipio quieres que encuentre tu compañero?... ¿Ya lo encontró? Bien, ahora que él te diga cuál debes buscar.

• ¡Sigamos jugando!... ¿Conoces el juego llamado ¡Basta!? Si lo conoces utilízalo con los nombres de los municipios de Chiapas. Si no lo conoces, a continuación te diremos cómo es:

- Invita a un amigo a que juegue contigo.
- Dile que pronuncie el abecedario y se detenga cuando le digas ¡Basta!
- Según la letra en donde se haya detenido, que localice en el mapa un municipio cuyo nombre empiece con dicha letra.
- Por cada acierto se anotará un punto.
- Ahora tú sigues.
- El ganador será quien acumule más puntos.

A la división de un país en entidades, o de una entidad en municipios, se le llama división política. Al estado de Chiapas lo forman 111 municipios.

EL MUNICIPIO COMO PARTE DE LA ENTIDAD

LOCALIZACIÓN GEOGRÁFICA DE TU MUNICIPIO

Debes recordar que tu municipio y los demás que aparecen en este mapa, forman parte de tu entidad. Para localizarlos utilizamos los puntos cardinales. Observa que el municipio de Catazajá se localiza al norte del estado.

En cada municipio aparece un punto que representa la cabecera municipal, es decir, el pueblo o ciudad más importante en donde están las autoridades. Consulta el número y nombre de los municipios en la página 15.

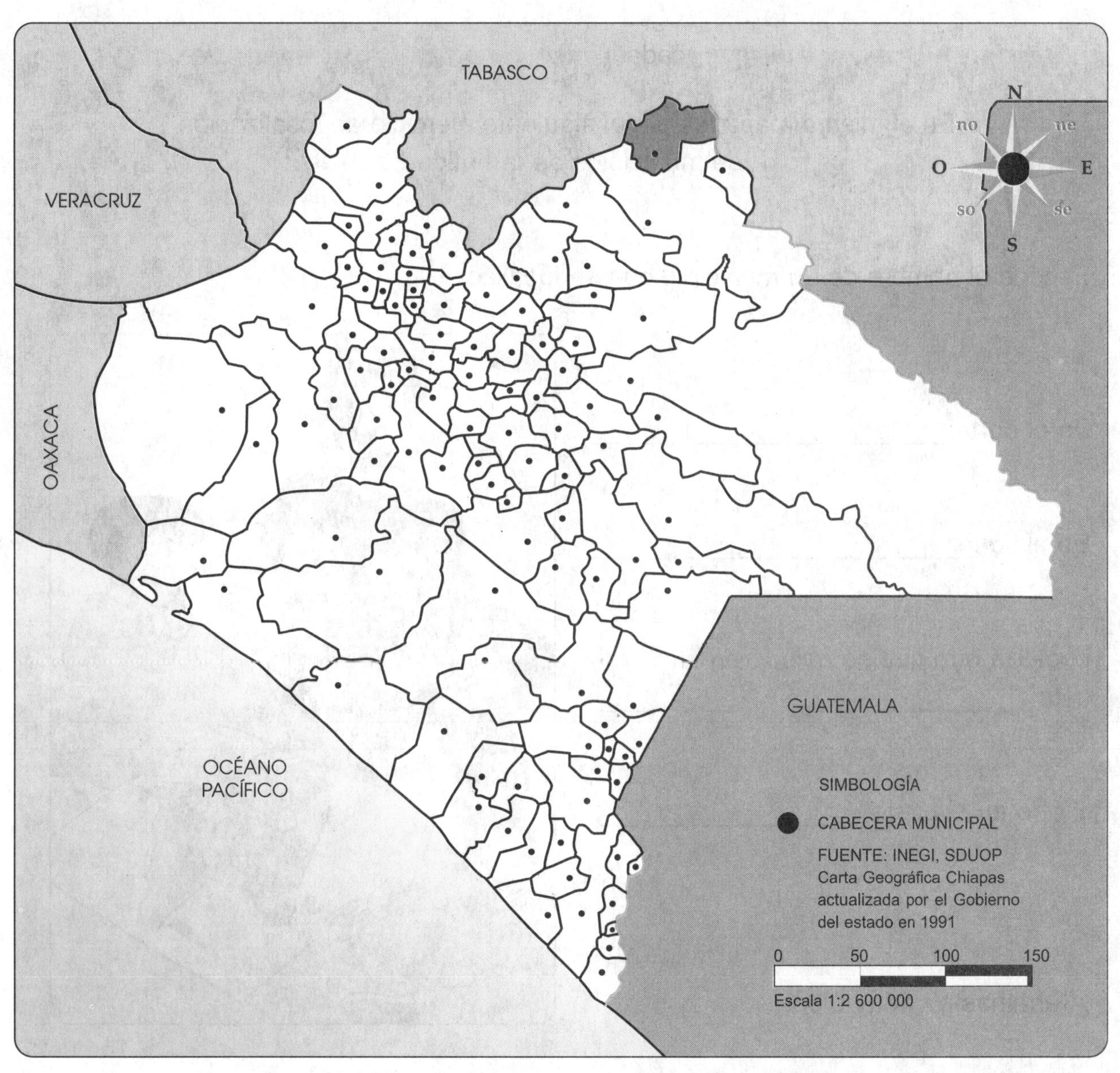

Los municipios de Chiapas y sus cabeceras municipales.

• ¿Sabes el nombre de tu municipio? Anótalo. ________________.

____.

• Localízalo en el mapa de la página anterior y coloréalo de amarillo.

• Encierra en un círculo rojo la cabecera de tu municipio.

En el mismo mapa realiza el siguiente ejercicio de localización de municipios de la entidad.

Escribe el nombre de un municipio que se localice:

En el norte:______________________.

En el sur:__________________________.

Localiza otro que se ubique en el este:___________________________.

Y otro en el oeste:________________.

¿Terminaste? ¡Muy bien!

MUNICIPIOS COLINDANTES

En esta figura puedes ver que el municipio de Tapalapa colinda al norte con Chapultenango, al sur con Coapilla; al este, Pantepec y al oeste, Ocotepec.

Algunos municipios de nuestro Estado colindan con otra entidad, con Guatemala o con el Océano Pacífico.

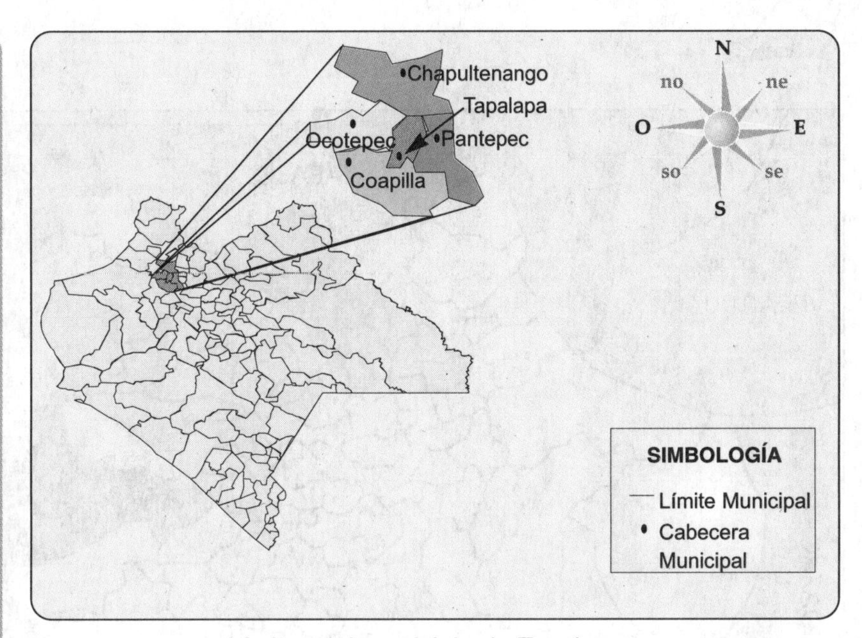

Límites del municipio de Tapalapa.

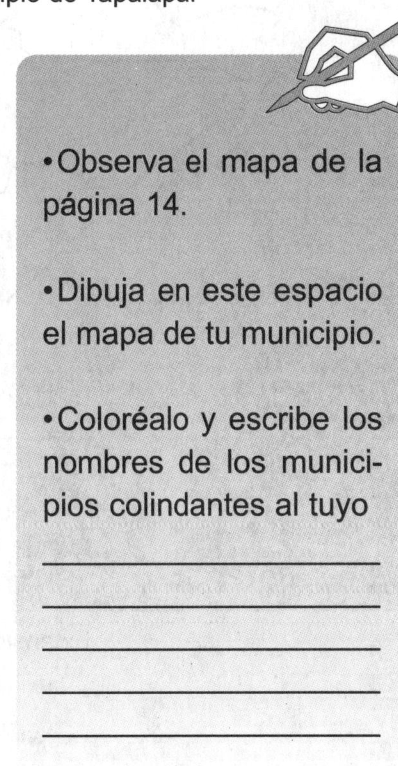

- Observa el mapa de la página 14.
- Dibuja en este espacio el mapa de tu municipio.
- Coloréalo y escribe los nombres de los municipios colindantes al tuyo

____

____

____

____

____

Se llaman municipios colindantes a los que están juntos, es decir a los que son vecinos.

COMPARACIÓN DE LA EXTENSIÓN DEL MUNICIPIO CON SUS COLINDANTES

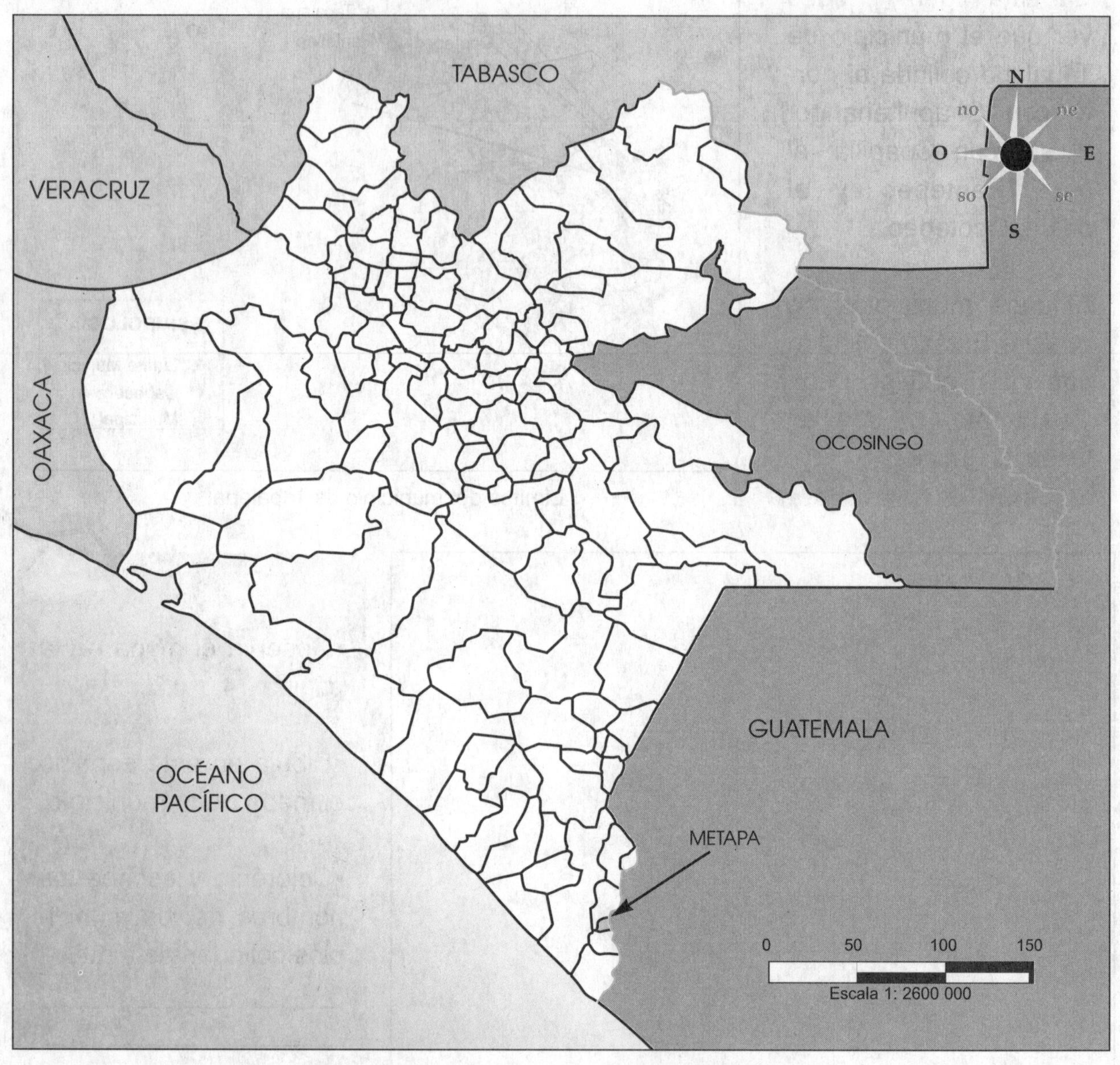

Extensión territorial de los municipios de Chiapas.

Si observas detenidamente este mapa notarás que hay municipios con diferente extensión territorial, esto es fácil comprobarlo, si comparamos los municipios de Ocosingo y Metapa.

Observa la siguiente ilustración.

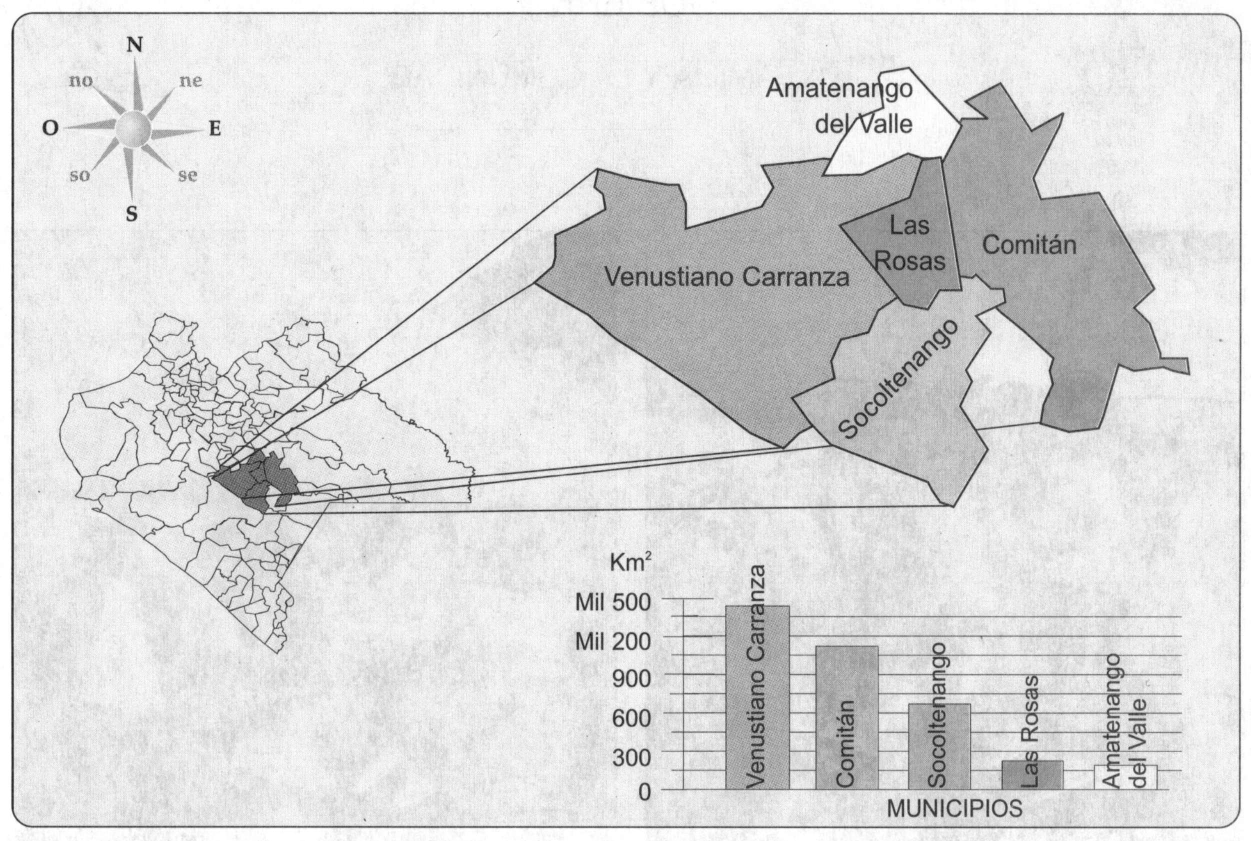

Extensión territorial del municipio de Las Rosas y sus colindantes.

En esta figura puedes ver que el municipio de Las Rosas no tiene la misma extensión que sus colindantes.

Con ayuda de la gráfica que ahí aparece, resuelve el siguiente ejercicio.

- ¿Qué municipio es el más extenso? ______________________.
- ¿Cuál consideras que es el de menor extensión? ________________.

Este ejercicio te permitió comparar la extensión territorial de un municipio con otros.

Los municipios de Chiapas tienen diferente extensión territorial.
El de Ocosingo es el más grande y el de Metapa el más pequeño.

GOBIERNO

LA FAMILIA Y LA COMUNIDAD

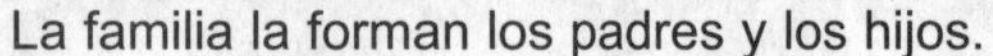

La familia la forman los padres y los hijos.

En algunas familias también viven otros parientes.

La familia es un grupo de personas unidas por un parentesco, en la que todos colaboran y ayudan para vivir en **armonía**.

La **organización** y protección de la familia es responsabilidad de los padres, pero es necesario que sus integrantes participen y convivan con amor y respeto.

Tu comunidad está formada por las familias que ahí viven. Al igual que en la familia, sus miembros tienen derechos y obligaciones que les permiten establecer entre sí relaciones de armonía y colaboración.

Para que la comunidad viva en armonía es necesario que cuente con un gobierno que la organice y la dirija. Este gobierno tiene características que dependen del tipo de comunidad de que se trate. Fíjate en este esquema:

ORGANIZACIÓN MUNICIPAL	TIPO DE COMUNIDAD
Ayuntamiento	Cabecera municipal
Agencia o Delegación Municipal	Ranchería Ejido Pueblo

El pueblo o ciudad donde se encuentra el Ayuntamiento, es la cabecera municipal.

- ¿De qué tipo es la comunidad donde vives?_________________.

- ¿Cuál es el gobierno de tu comunidad?_______________.

- Con la ayuda de tus papás, de amigos o de vecinos, investiga el nombre de las personas que integran el gobierno de tu comunidad y las funciones que desempeñan.

La familia y el gobierno de la comunidad deben procurar la convivencia y cuidar por los intereses de sus miembros, para que participen y se beneficien.

GOBIERNO MUNICIPAL. ESTRUCTURA Y FUNCIONES

Cada municipio tiene un gobierno que cuida el bienestar y progreso de sus habitantes. A este gobierno se le llama Ayuntamiento, integrado por un grupo de personas que lo administran.

Actividades municipales.

El Ayuntamiento está formado por el presidente municipal, un **síndico** y los **regidores**, elegidos por los ciudadanos a través del voto, cada tres años.

El Ayuntamiento debe *atender las necesidades de las comunidades del municipio*. Para ello nómbra a un grupo de colaboradores, como secretario, comandante, juez, tesorero, entre otros.

Para que el Ayuntamiento gobierne al municipio, se apoya en los delegados o agentes municipales.

Las principales funciones del Ayuntamiento son:

Gestionar y apoyar la educación.

Promover los servicios de salud.

Promover y mejorar la comunicación.

Recaudar impuestos.

Atender los servicios públicos.

Fomentar y mejorar la recreación.

Procurar justicia.

Conservar y mejorar los recursos naturales.

¡Vamos a jugar a elegir un Ayuntamiento!

Con la ayuda de tu maestro realiza con tus compañeros lo siguiente:

- Nombren tres equipos de cinco niños cada uno.
- A cada equipo pónganle un nombre o un color para distinguirlo.
- Que cada equipo informe al grupo sobre las actividades que le gustaría realizar para mejorar al municipio.
- El grupo votará por el equipo que considere más adecuado para formar el Ayuntamiento.
- Cada niño anotará en un papelito el nombre o color del equipo que prefiera y lo depositará en una caja.
- Cuando todos hayan votado, acompañado de un representante de los equipos, el maestro contará el número de votos para cada equipo.

El equipo ganador representará al gobierno municipal.

Este equipo organizará la realización de alguna actividad sencilla para beneficio del grupo o la escuela, como la limpieza o la siembra de arbolitos, entre otras.

El gobierno municipal está representado por el Ayuntamiento.
Lo integran: presidente municipal, síndico y regidores.
Algunas de sus funciones generales son: procurar el bienestar de sus habitantes, dotar de servicios públicos y conservar y mejorar los recursos naturales del municipio.

DERECHOS Y OBLIGACIONES DE LOS CIUDADANOS EN EL MUNICIPIO

En toda familia, comunidad y municipio existen obligaciones y derechos que deben ponerse en práctica. Su cumplimiento permite que los habitantes convivan en un ambiente de colaboración y respeto.

Como niño, tú tienes los siguientes derechos: a la vida, a la salud, al juego, a recibir protección de tus padres y autoridades, cariño y respeto de los mayores y educación; y como obligaciones tienes: respetar a tus padres, familiares, maestros y personas mayores, así como cumplir con tus deberes en la escuela.

Éstos son algunos derechos y obligaciones de los ciudadanos:

DERECHOS	OBLIGACIONES
Por ley recibir protección	Cumplir con las leyes
Formar una familia	Enviar a los hijos a la escuela
Contar con servicios públicos	Pagar impuestos
Votar y **ser votado**	Participar en las elecciones
Tener libertad de religión	Respetar las creencias de los demás

Un derecho es lo que debemos recibir y realizar para beneficio nuestro, sin perjudicar a otros.

Una obligación es lo que debemos hacer, dar o conceder para beneficio de todos.

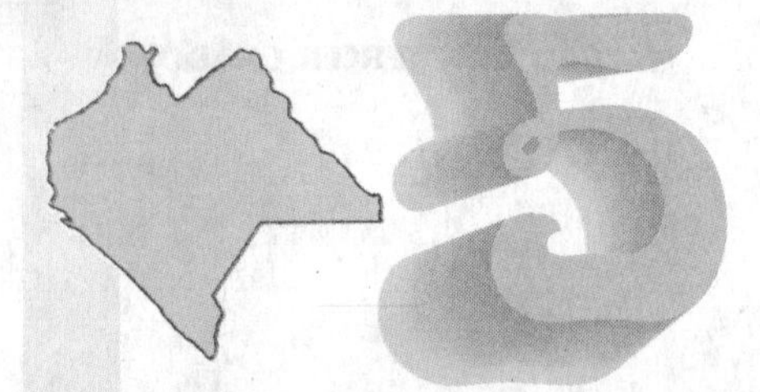

LA ENTIDAD

FORMAS DE RELIEVE DE LA ENTIDAD

Si tuvieras oportunidad de viajar hacia las distintas poblaciones de Chiapas, conocerías de cerca algunas de las principales formas de relieve de la entidad.

Volcán Chichonal.

Al norte del estado, en el municipio de Francisco León, se encuentra el volcán Chichonal, que en marzo de 1982 hizo erupción lanzando rocas y arenas ardientes, provocando muchos destrozos en toda la región.

Así también, entre los municipios de Tuxtla y Chiapa de Corzo, el río Grijalva atraviesa una gran abertura entre los cerros, llamada Cañón del Sumidero.

Cañón del Sumidero.

Depresión Central.

En el centro del estado hay una gran extensión hundida, por donde corre el río Grijalva. Esta formación natural se llama Depresión Central.

Si viajaras de Huixtla a Motozintla, atravesarías una larga fila de cerros, conocida como Sierra Madre de Chiapas.

Sierra Madre de Chiapas.

Altiplanicie.

O bien, si viajaras de San Cristóbal de las Casas a Comitán, recorrerías toda la Altiplanicie Central de la entidad, que es una gran extensión plana y elevada.
Si hicieras el viaje en tren o por carretera de Arriaga a Tapachula, conocerías la Llanura de la Costa de Chiapas.

Llanura costera.

Ahora, te invito a salir del salón o de la escuela con tus compañeros y tu maestro. Se colocarán en un lugar donde puedan observar los alrededores de la comunidad. Siguiendo las indicaciones del maestro observen aquellas partes sobresalientes del suelo. Después de la observación marquen con una equis (x) cada una de las siguientes formas de relieve que hayan identificado.

__Sierra.	__Cañón.	__Volcán.	__Altiplanicie.	__Depresión.	__Llanura.

• Después de marcar tus observaciones *modela* con plastilina, arena, arcilla, o con algún material parecido, una forma de relieve de tu comunidad, ya sea individualmente o por equipo.

Observa detenidamente la siguiente figura y comenta con tus compañeros lo que ves.

Como podrás darte cuenta, la superficie del suelo de Chiapas cambia de un lugar a otro. Esta diversidad que presenta el paisaje se conoce como formas de relieve. Las formas de relieve determinan las distintas regiones de la entidad.

Principales formas de relieve de Chiapas.

En tu comunidad pueden existir otras formas de relieve como éstas:

Valle.

Cerro.

- En el siguiente mapa se localizan las 7 regiones del estado de Chiapas.

Regiones de Chiapas.

- ¿De qué color se encuentra pintada la región Sierra Madre de Chiapas?

  ______________________________.

- ¿Qué número tiene la región Altiplanicie Central? ______________________.
- ¿Qué región está pintada de morado? ______________________________.
- ¿Cuál es la región que se localiza en la parte norte del estado? __________.
- ¿En qué región se localiza tu municipio? ____________________________.

El suelo de nuestra entidad presenta partes levantadas, hundidas y planas. A esa variedad del suelo se le llama formas de relieve.

RÍOS, LAGOS, LAGUNAS Y ESTEROS DE CHIAPAS

¿Qué pasa con el agua que cae como lluvia en nuestra entidad durante el verano? La mayor parte de ella corre hacia las partes bajas formando arroyos, ríos, lagos y lagunas; otra parte se filtra en el suelo formando depósitos de aguas subterráneas, dando origen a manantiales y arroyos. Una última porción de esa agua se evapora para formar nubes, que a su vez, regresará al suelo en forma de lluvia.

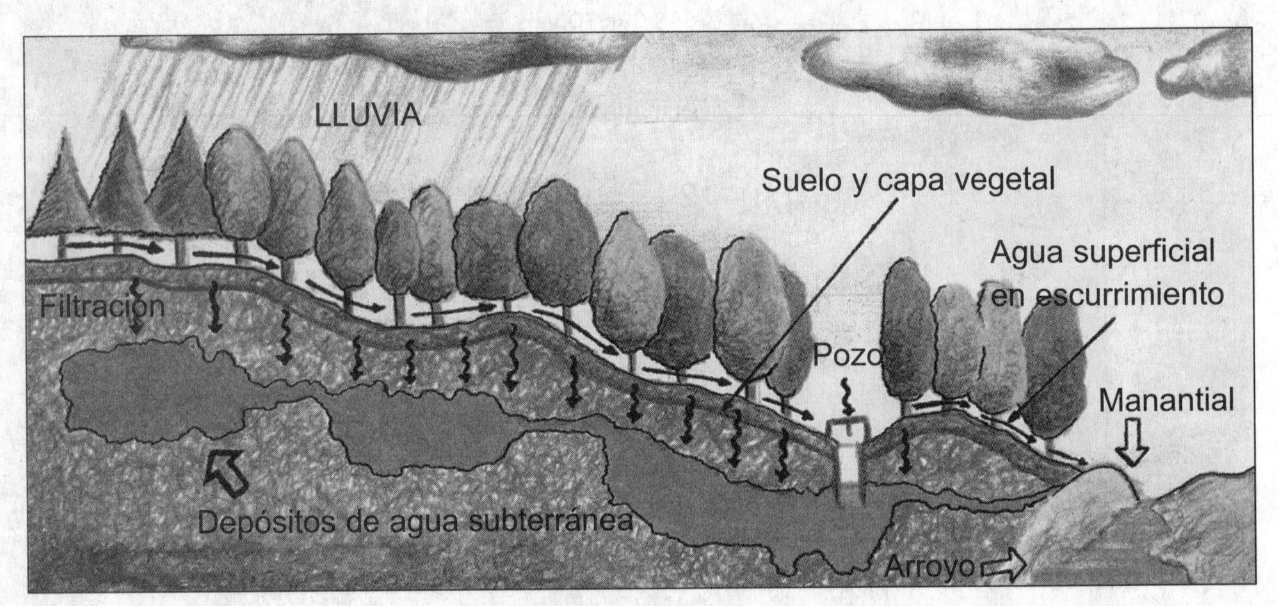

Formación de arroyos y ríos.

RÍOS

Nuestra entidad está regada por muchos ríos, que son aprovechados para la generación de energía eléctrica, riego agrícola, navegación y como criadero de peces en las presas.

Los ríos de Chiapas se han dividido en tres sistemas:

- Del río Grijalva, que recorre la parte central del estado.
- Del río Usumacinta, que riega la parte norte de la entidad.
- De la costa de Chiapas, que desciende de la Sierra Madre hacia el Pacífico.

Un sistema se forma por todos los ríos que depositan sus aguas en otro principal o directamente en el mar. Observa el siguiente mapa que te muestra los sistemas de los ríos de Chiapas.

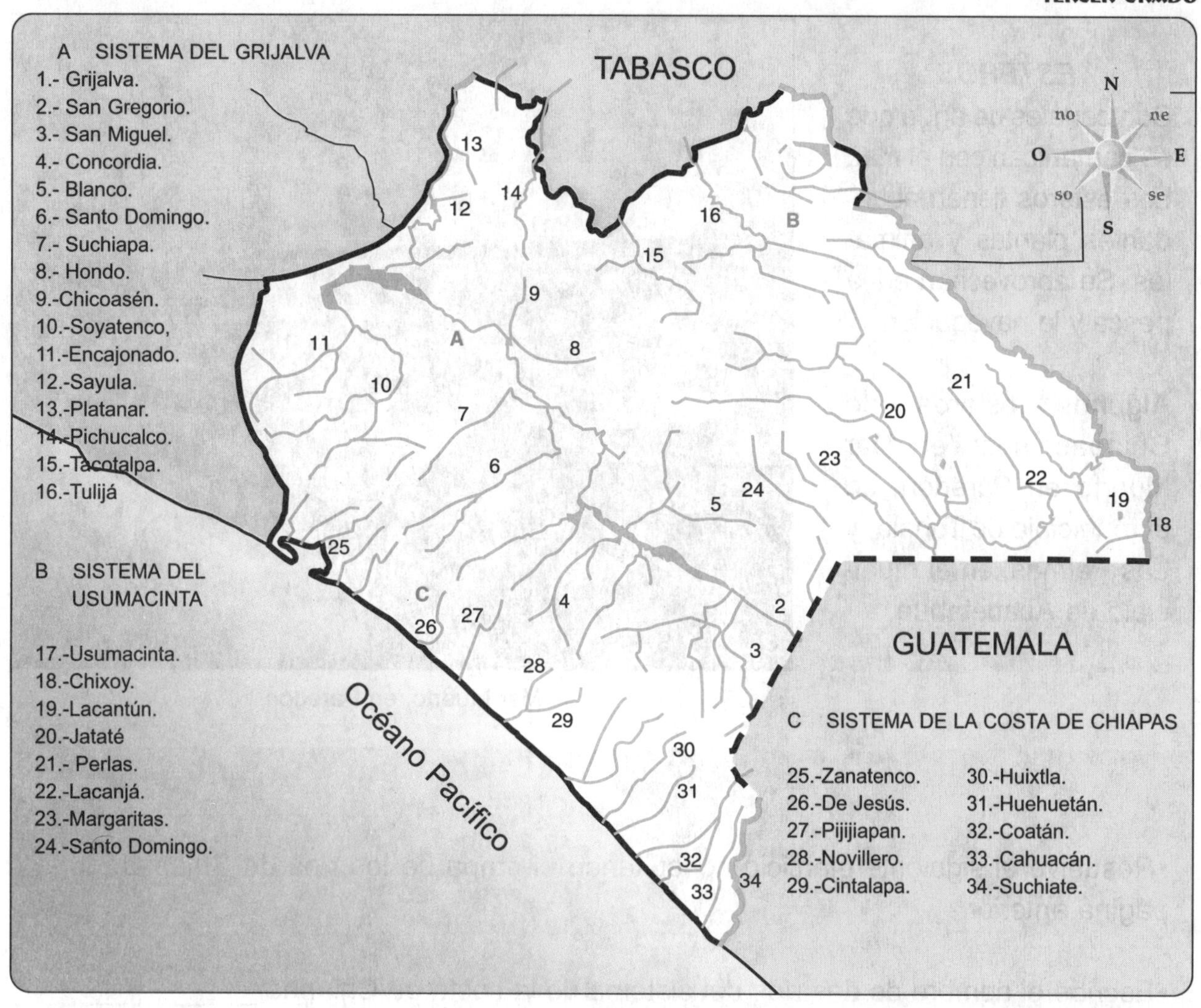

Ríos de Chiapas.

LAGOS

Los lagos son depósitos de agua dulce. En Chiapas se encuentra el lago Miramar, en el municipio de Las Margaritas; y el lago Ocotales, en el municipio de Ocosingo.

LAGUNAS

Las lagunas son también depósitos de agua dulce. Las de Montebello, localizadas en los municipios de La Trinitaria e Independencia, son las más importantes de la entidad.

Lagunas de Montebello.

ESTEROS

Son canales de agua que se comunican con el mar. Los esteros tienen abundantes plantas y animales. Se aprovechan en la pesca y la navegación.

Algunos esteros de Chiapas son: el Mar Muerto en Paredón, en el municipio de Tonalá, y Las Palmas, en el municipio de Acapetahua.

Mar Muerto, en Paredón.

- Resuelve el siguiente ejercicio consultando el mapa de los ríos de Chiapas, de la página anterior.
- Escribe el nombre de dos ríos del sistema de la costa de Chiapas:_____________ ____.
- Escribe el nombre de dos ríos que pertenezcan al sistema del río Grijalva: ______ ____.
- Menciona los nombres de dos ríos del sistema del río Usumacinta: ___________ ____.
- Anota el nombre del río más cercano a tu comunidad: ________________.

Chiapas tiene importantes ríos como el Grijalva, el Usumacinta y el Suchiate, que sirve de límite con Guatemala, así como lagos, lagunas y esteros que son valiosas fuentes turísticas y de trabajo.

CLIMAS DE CHIAPAS

Te habrás dado cuenta que durante el año a veces hace mucho calor o demasiado frío, que llueve mucho o que deja de llover, o que se presentan vientos más fuertes en algunos meses.

En cada lugar de la entidad puede hacer calor o frío, aparecer vientos débiles o fuertes y lluvias escasas o abundantes. La observación y registro de estos cambios, durante muchos años, es lo que establece el clima de un lugar.

Tiempo de calor.

Tiempo de frío.

En Chiapas, en los meses más calurosos, es decir, de mayor temperatura, se presentan las lluvias; en cambio, durante los meses de frío, las lluvias disminuyen o se retiran.

Las lluvias son más abundantes en el norte y en el sur de la entidad, por la humedad de los vientos que vienen del Golfo de México y el Océano Pacífico.

Tiempo de lluvia.

El clima también cambia por la altura de un lugar. En las partes bajas es cálido, y templado en las partes altas.

Presta atención a la figura siguiente:

El relieve es un factor que influye en el clima.

Las comunidades situadas en lugares altos como San Cristóbal, Comitán y Teopisca, tienen clima templado.

En cambio, aquellas comunidades situadas en lugares bajos como Tapachula, Tonalá y Palenque tienen clima cálido.

Las comunidades que se encuentran en lugares ni muy altos ni muy bajos, tienen clima semicálido; es decir, que no son calurosos ni templados, como Tenejapa y Siltepec.

Debido a la presencia de calor o frío de los vientos, las lluvias y el relieve, en Chiapas existen los siguientes climas: cálido, semicálido y templado.

El siguiente mapa te muestra los climas existentes en la entidad.
Calca el mapa de climas y localiza tu municipio.

- ¿A qué clima pertenece?________________________.

- En el municipio de Arriaga el clima es cálido, localízalo y píntalo de rojo.

- El municipio de Comitán tiene un clima templado, localízalo y coloréalo de amarillo.

- Siltepec tiene un clima semicálido, pinta de naranja ese municipio.

- Ahora localiza tu municipio, coloréalo de verde y anota su clima.

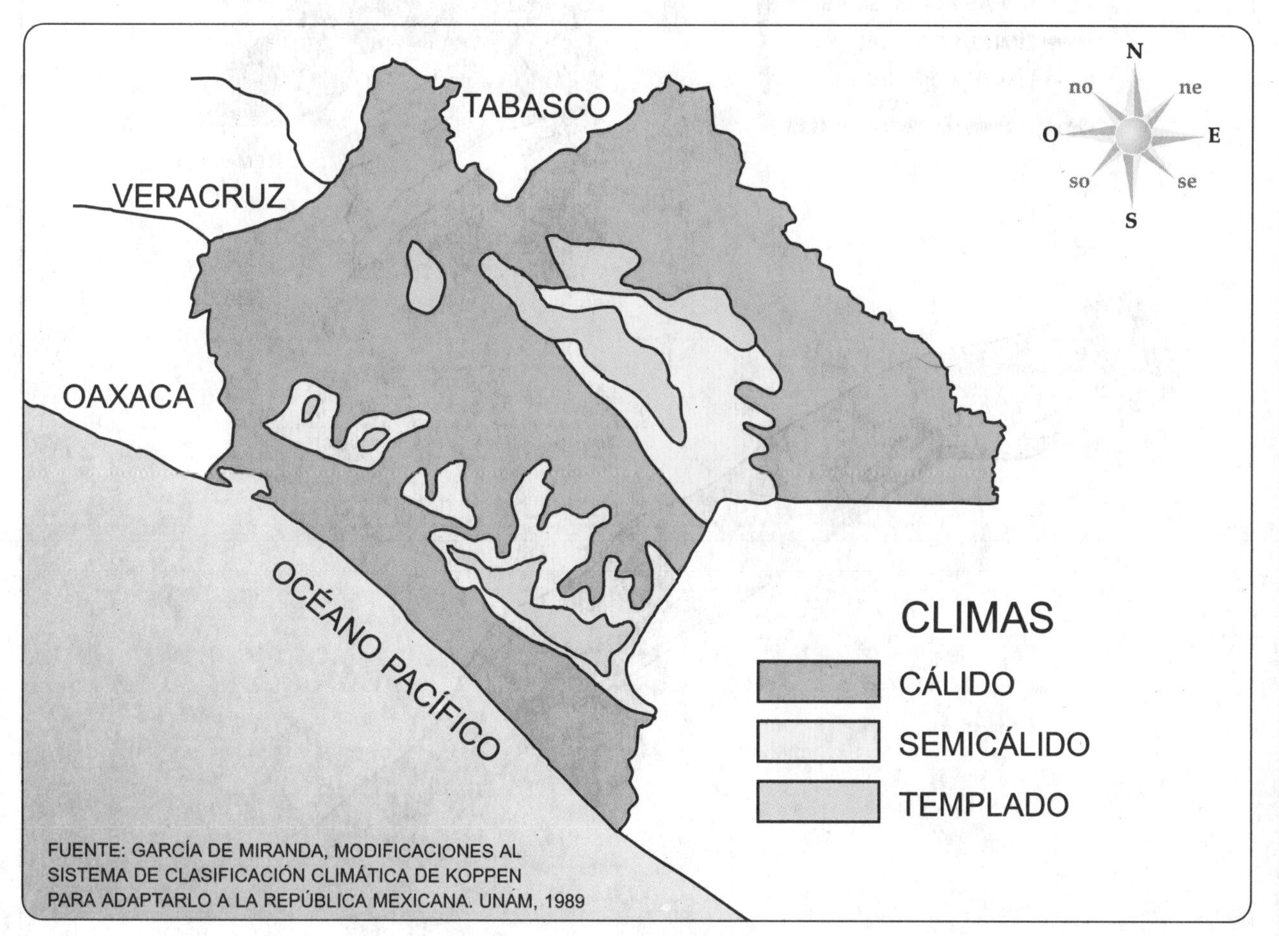

Climas de Chiapas.

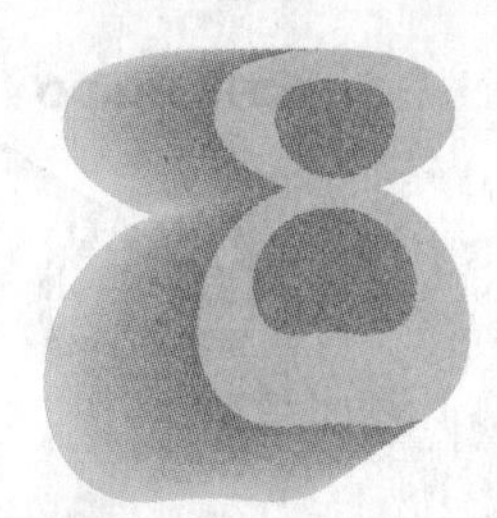

CARACTERÍSTICAS PRINCIPALES DE LAS REGIONES NATURALES DEL ESTADO

Hasta aquí has estudiado muchas cosas de tu estado. Ahora quiero invitarte a realizar un recorrido por las siete regiones naturales de Chiapas.

Cada región se distingue por tener una forma propia de relieve, clima, vegetación y animales; también porque sus habitantes y lo que se produce en ellas es diferente.

I. LLANURA COSTERA DEL PACÍFICO

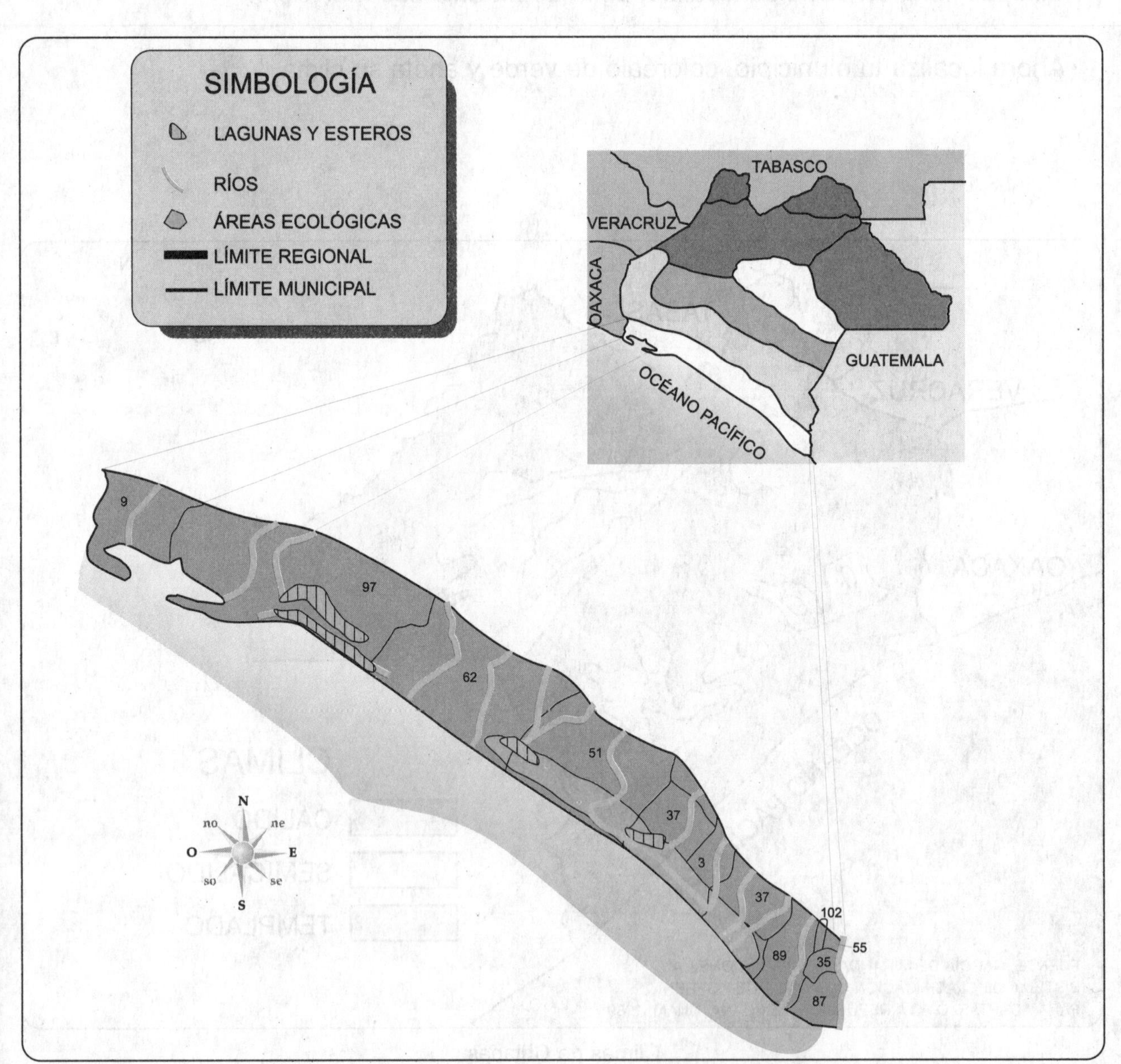

¿Has oído hablar de la Costa de Chiapas o has viajado alguna vez a Puerto Arista?

Fíjate que estos lugares se encuentran en la Llanura Costera del Pacífico, en el sur de Chiapas.

Esta región es una larga franja que va desde el municipio de Arriaga hasta el de Suchiate.

En esos lugares llueve mucho y hace demasiado calor. Gracias a este clima cálido lluvioso, la flora, es decir, la vegetación, es muy abundante y está formada por palmeras, almendros, mangos, chicozapotes, morros, guanacastes, palos de mulato, zapotes de agua y mangles.

Llanura costera en el municipio de Tonalá.

Estero de Boca del Cielo, en el municipio de Tonalá.

La fauna, es decir, los animales que habitan esta región son: caimanes, cantiles, boas, loros, pijijes, garzas, zorrillos, mapaches, armadillos y venados, entre otros.

En esta región se encuentra la reserva ecológica “La Encrucijada”, localizada en los esteros desde Pijijiapan hasta Mazatán.

Esta reserva favorece la conservación de plantas y animales, y permite que existan lluvias, aire limpio y que el clima no se altere.

Las reservas ecológicas benefician a toda la humanidad. Es necesario que ayudemos a cuidarlas.

Fauna predominante de la Llanura Costera del Pacífico.

Las personas que viven en la región se dedican a la agricultura, principalmente al cultivo del cacao, algodón y frutas como plátano, mango, limón, guanábana y papaya.

Las amplias llanuras les permiten dedicarse también a la ganadería, es decir, a la cría de vacas, caballos, marranos y aves de corral.

Otras actividades importantes son: la pesca de camarón, bagre, lisa, mojarra y robalo. La industria produce harina, calhidra, queso, azúcar, muebles, enlatado de camarón y miel.

La amplia producción existente propicia una gran actividad comercial, es decir, la compra y venta de productos, la cual se realiza por las vías de comunicación terrestres, aéreas y marítimas existentes en la región.

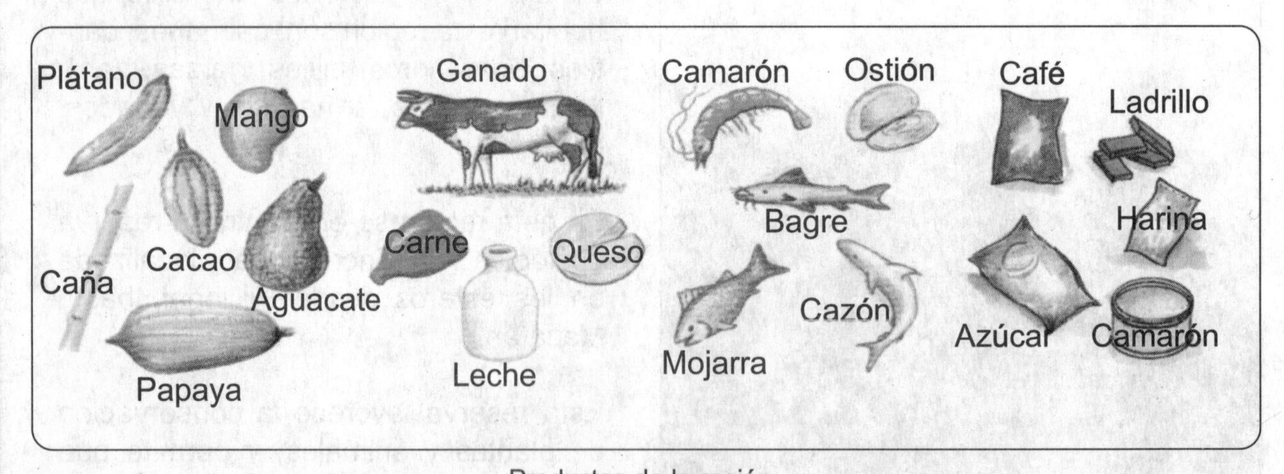

Productos de la región.

La Llanura Costera del Pacífico es una de las regiones naturales más importantes de la entidad por su producción agrícola, ganadera, pesquera e industrial, y por su actividad comercial.

II. SIERRA MADRE DE CHIAPAS

Esta región, la más alta de la entidad, abarca la cadena montañosa que se encuentra al norte de la Llanura Costera del Pacífico, desde los límites con Oaxaca hasta la frontera con Guatemala.

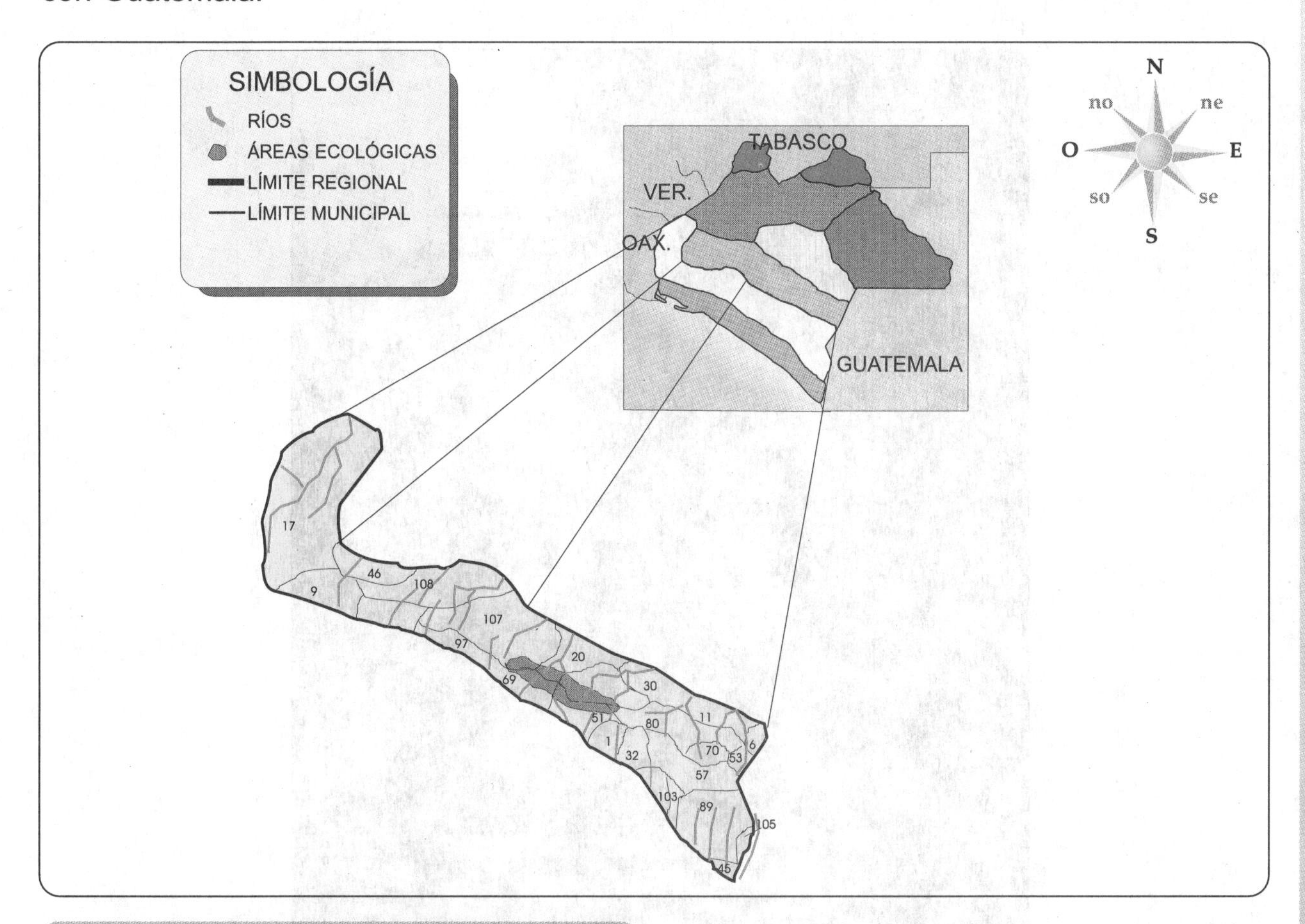

La Sierra Madre de Chiapas está formada por una cadena de grandes elevaciones, entre las que sobresale el volcán Tacaná, situado en la frontera con Guatemala.

Su clima es variado, dependiendo de la altura en que se encuentra el lugar. En las partes menos altas es cálido, por ejemplo Tuxtla Chico; es templado en las partes altas, como Unión Juárez, y en las intermedias, el clima es semicálido, como en Siltepec.

Volcán Tacaná.

Los animales más comunes son: musaraña, tepescuintle, jabalí, puma, ocelote, tapir, ardilla voladora, venado cabrito, picamadero ocotero, nauyaca bicolor, culebra ocotera y lagarto escamoso verde.

Dentro de su vegetación se encuentran: cedro, encino, ciprés, pino, roble, romerillo y liquidámbar.

Reserva ecológica El Triunfo. Instituto de Historia Natural.

En esta región se localiza la reserva ecológica “El Triunfo”, que es muy importante porque ahí existen animales y plantas que han desaparecido en otras regiones. Esta reserva se encuentra entre los límites de los municipios de Mapastepec y Ángel Albino Corzo.

Ahí habitan algunos animales como el puma, tapir, quetzal, tángara verde y pavón, que están en peligro de desaparecer. Su vegetación es abundante, predominando el liquidámbar y helechos gigantes. La lluvia y la niebla son constantes todo el año.

Los habitantes de la Sierra Madre se dedican a la agricultura, principalmente al cultivo del café, maíz, legumbres y frutas.

También practican la ganadería y el comercio.

La abundancia de cerros dificulta la construcción de carreteras suficientes, para mejorar la comunicación entre esta región y las demás.

• Si observas con cuidado este dibujo, descubrirás algunos animales.

Escribe en tu cuaderno el nombre de cada uno de ellos e investiga por qué algunos están en peligro de desaparecer.

En la Sierra Madre de Chiapas se encuentran las principales elevaciones de la entidad y la reserva ecológica "El Triunfo". Su fauna y vegetación son variadas. Sus habitantes se dedican principalmente a la agricultura, y en menor escala a la ganadería y al comercio.

III. DEPRESIÓN CENTRAL

Esta región se localiza en la parte central del estado y se extiende desde el municipio de Cintalapa hasta el de Frontera Comalapa.

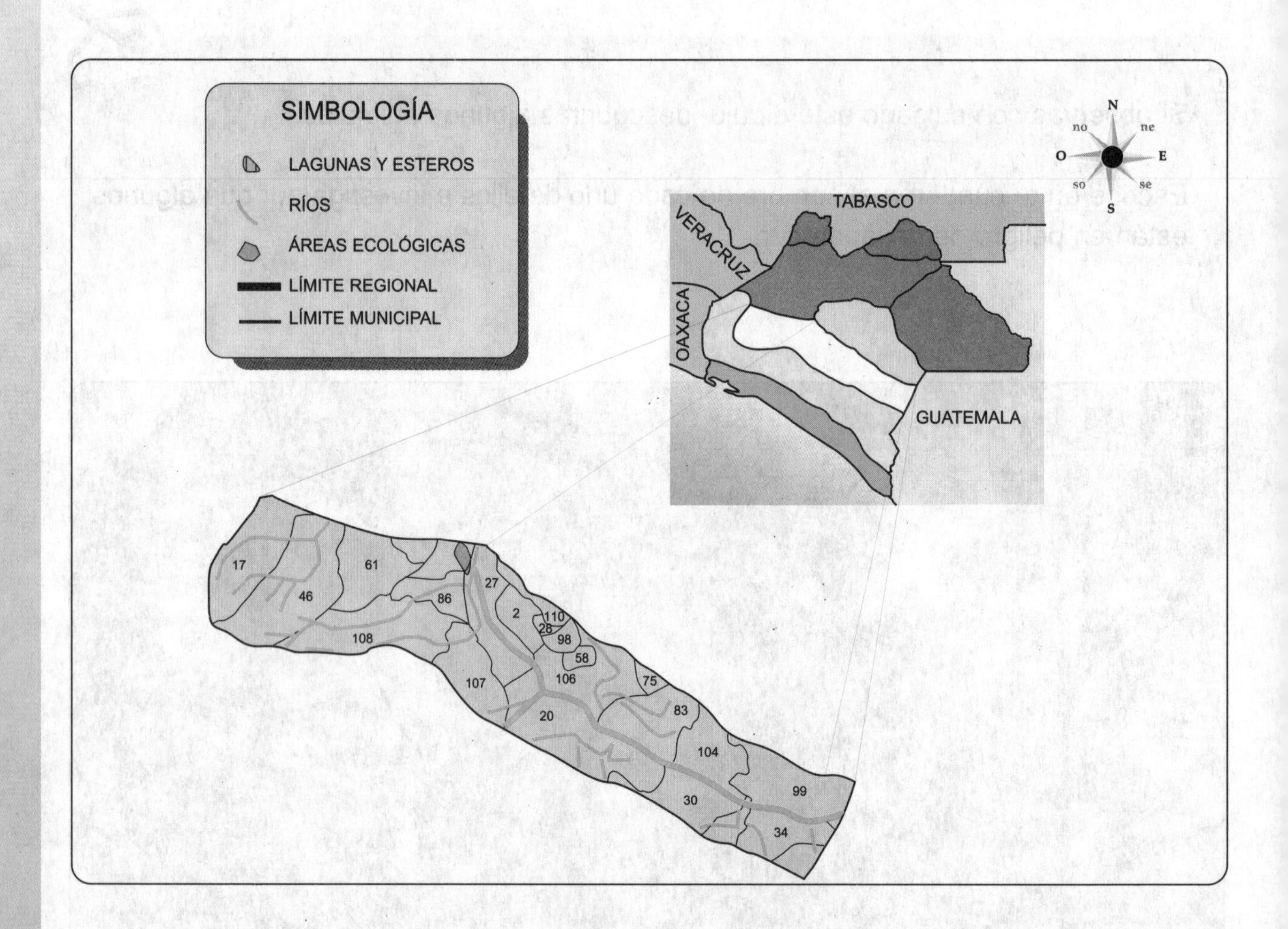

La Depresión Central es una gran extensión hundida, compuesta de muchos valles que han formado los ríos que bajan de la Sierra Madre de Chiapas y la Altiplanicie Central, los cuales depositan sus aguas en el río Grijalva.

El clima dominante de esta región es cálido.

La vegetación de la región se caracteriza por tener árboles de poca altura; muchos pierden sus hojas en época de seca.

Entre los árboles más comunes se encuentran: palo mulato, ceiba, matilishuate, cupapé, guaje, tepescohuite, ishcanal y huizache, entre otros.

El Cañón del Sumidero y sus alrededores fueron declarados parque nacional, con la finalidad de proteger la vegetación y los animales que habitan en este bello lugar.

Parque nacional Cañón del Sumidero.

Éstas son algunas especies de la fauna que habita en la Depresión Central de Chiapas.

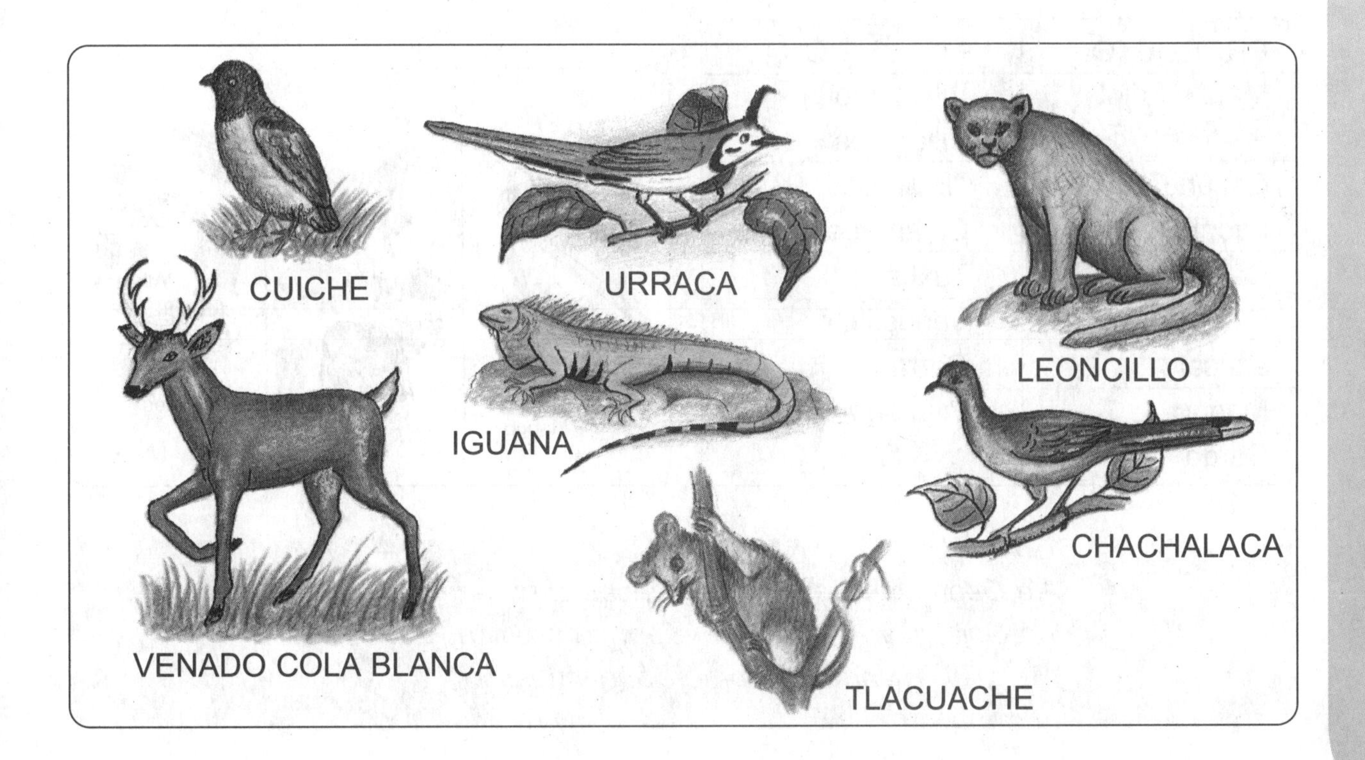

Panorámica de Tuxtla Gutiérrez.

Los habitantes de esta región se dedican a la agricultura, principalmente al cultivo del maíz; a la ganadería; a la industria, en la producción de energía eléctrica, calhidra, azúcar, ladrillo, triplay, muebles; y a la pesca, en la presa de La Angostura.

Por encontrarse esta región en la parte central del Estado y en ella la capital Tuxtla Gutiérrez, existe buena comunicación con las demás regiones por vía terrestre y aérea. Por esta razón le permite mantener una gran actividad comercial.

- Dibuja o calca algunos de los productos de esta región.

- Recórtalos y pégalos en el municipio que les corresponda. Usa el mapa de la página 44 y el recuadro de abajo.

PRODUCTOS	MUNICIPIOS
Maíz y Frijol	Villacorzo Villaflores
Cacahuate	Jiquipilas
Ladrillo	Chiapa de Corzo
Calhidra	Tuxtla
Caña de azúcar	Venustiano Carranza
Mango	Villa de Acala
Cerdo	

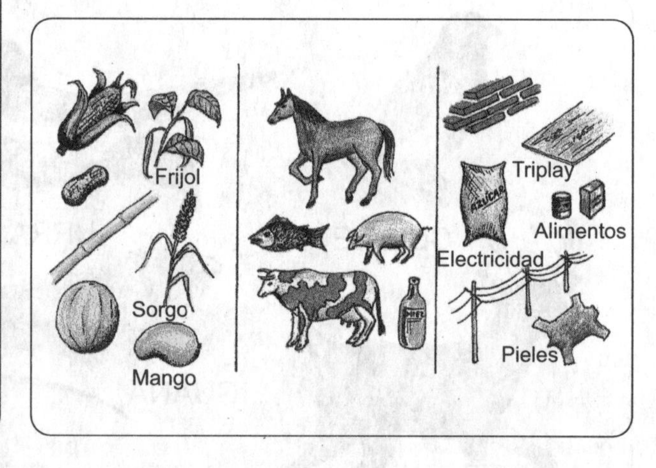

La Depresión Central de Chiapas está regada por el río Grijalva y se caracteriza por su actividad agrícola, ganadera, comercial e industrial.

IV. ALTIPLANICIE CENTRAL

Esta región se encuentra en la parte más alta del centro del estado, ocupada por los municipios de Ixtapa, Zinacantán, Teopisca, San Cristóbal y Comitán, entre otros.

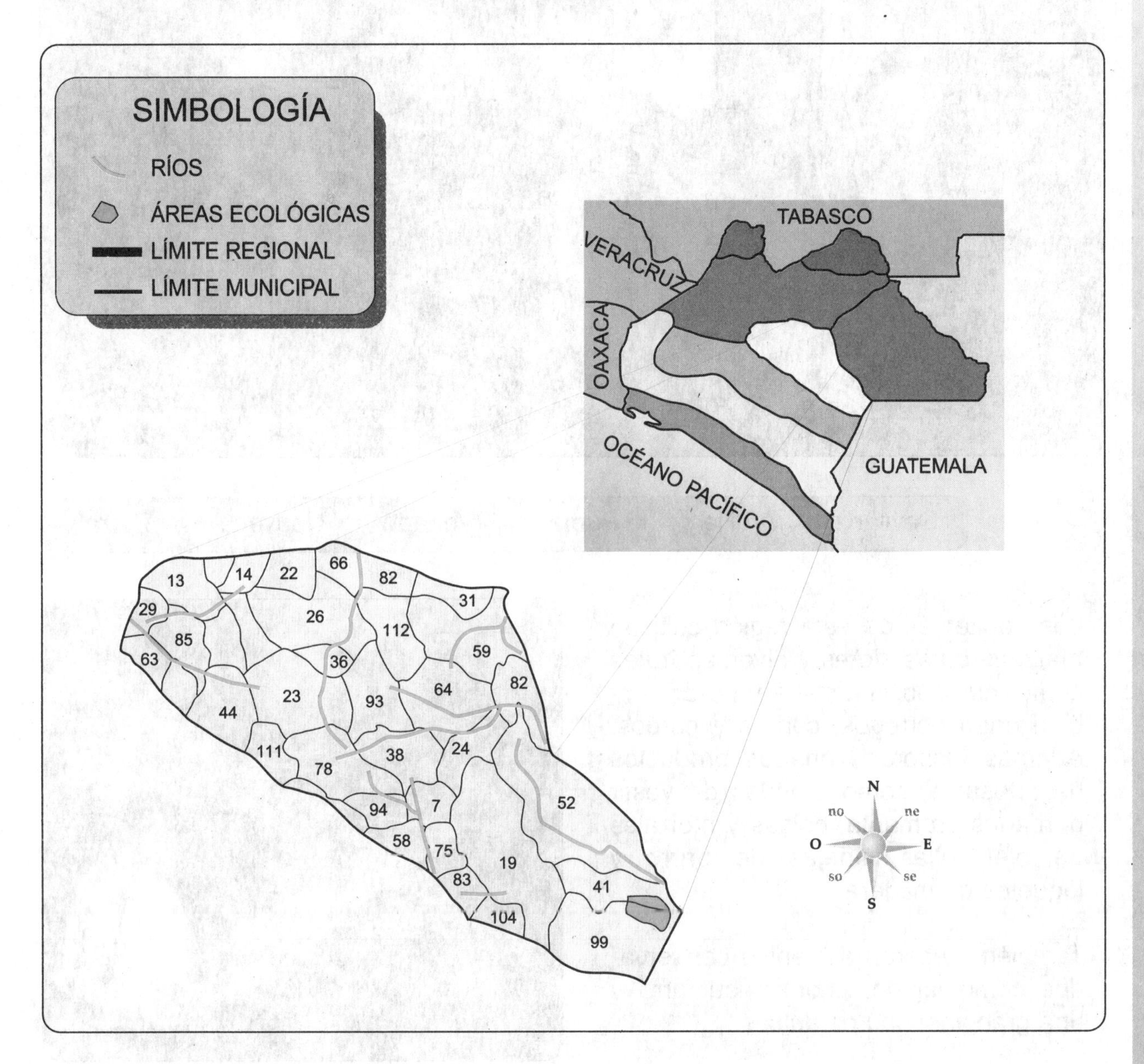

Su relieve presenta el aspecto de una gran mesa rodeada de cerros, entre los que destacan el Zontehuitz, Huitepec y Ecatepec.

La altura de la región hace que el clima sea templado y las lluvias abundantes en el verano.

La flora de la región está formada de sabino, ciprés, roble, pino, abeto, ocote y otros.

• El dibujo te muestra la fauna de la región. Trata de localizar los animales que ahí se encuentran, después une con una línea a cada animal con su nombre.

Gavilán | Ardilla | Puma | Venado | Nauyaca | Zorra

Los habitantes de esta región cultivan maíz, verduras, flores y diversas frutas como: durazno, manzana y pera; también crían borregos, cabras y cerdos. Además elaboran variados productos de artesanía, como prendas de vestir bordadas en manta, bolsas y morrales de piel, ollas, tinajas de barro y juguetes de madera.

También preparan alimentos conservados como jamón, chorizo, butifarra y una gran variedad de dulces.

Artesanías de la región.

La Altiplanicie Central ocupa la parte más alta del centro del Estado. Su clima es templado lluvioso y abunda el bosque de pinos y cipreses, entre los más importantes. Su fauna es rica y variada. Destacan la artesanía, el comercio y el turismo.

V. MONTAÑAS DEL NORTE

¿Has oído hablar del volcán Chichonal? ¿Conoces las cascadas de Agua Azul? ¿Sabes en dónde se encuentran? Estas formaciones naturales están en la región llamada Montañas del Norte, que se localizan en la parte norte de la entidad, extendiéndose de oeste a este.

Por la gran cantidad de cerros que hay en esta región, los ríos corren por estrechos valles que han permitido la construcción de presas hidroeléctricas como la "Ingeniero Manuel Moreno Torres", en el municipio de Chicoasén; la "Nezahualcóyotl", en el municipio de Tecpatán, y la de "Peñitas", en el municipio de Ostuacán.

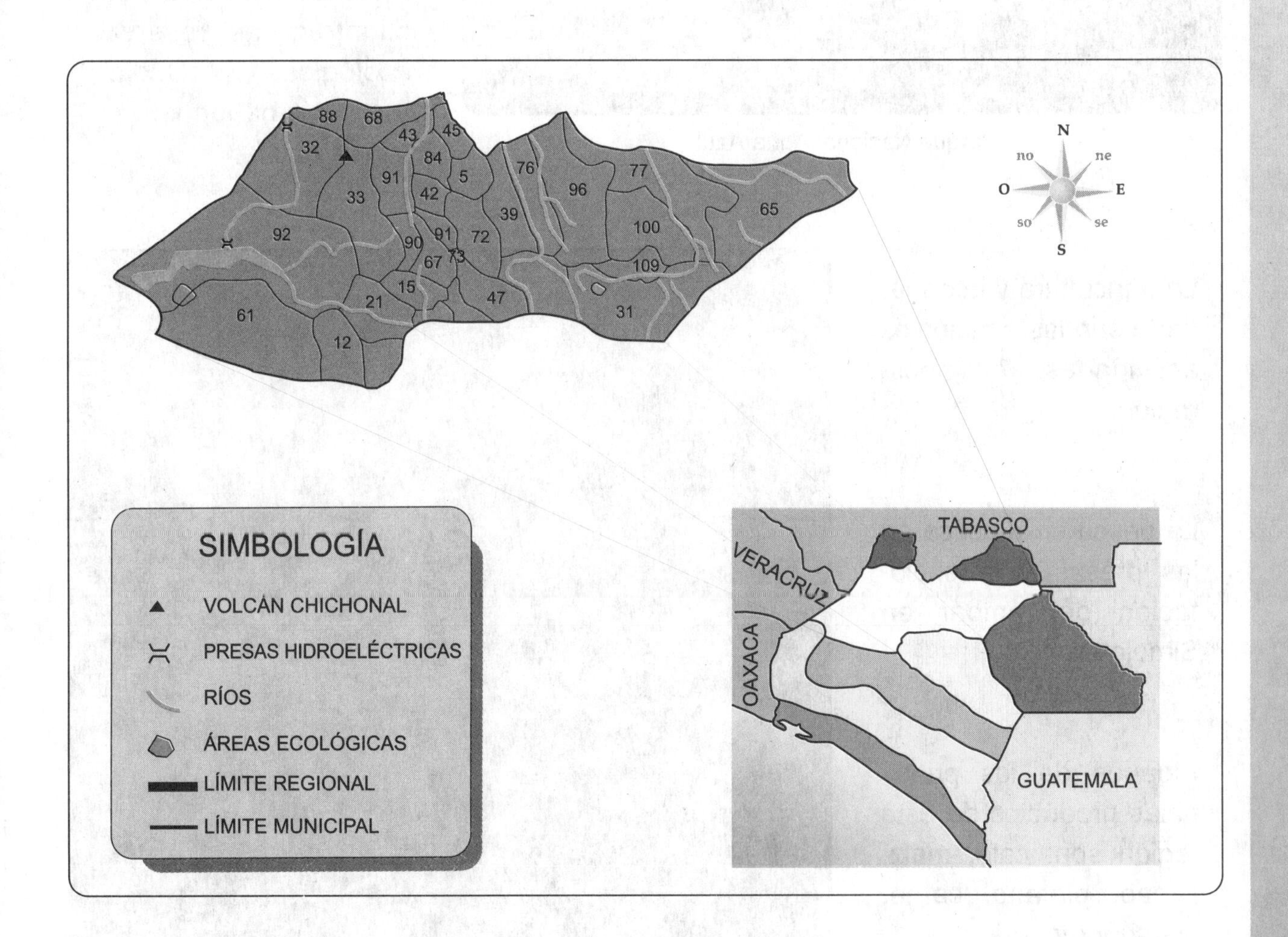

El clima de esta región es cálido y semicálido con lluvias la mayor parte del año, debido a la humedad que le llega del Golfo de México; por eso, la vegetación es abundante formando selvas, en donde existen árboles como: caoba, amate, cedro, ceiba, chicozapote, entre otros.

Parque Nacional Agua Azul.

La fauna también es abundante y variada, habitan la nauyaca cornuda, hocofaisán, zopilote rey, hormiguero, mico de noche, nutria, mapache, y otros que se te presentan en la página siguiente.

En esta región se encuentran las reservas ecológicas "El Ocote", "La Yerbabuena" y "Agua Azul".

La agricultura y la ganadería son las principales actividades en esta región.

La pesca se practica en las presas y la explotación del ámbar en Simojovel.

Algunos de los principales productos de esta región son: café, maíz, cacao, plátano, carne, queso y mojarra.

Presa hidroeléctrica "Ingeniero Manuel Moreno Torres".

• Los animales que se presentan en el dibujo siguiente habitan en las Montañas del Norte. Algunos están en peligro de **extinción**, ¿sabes por qué?

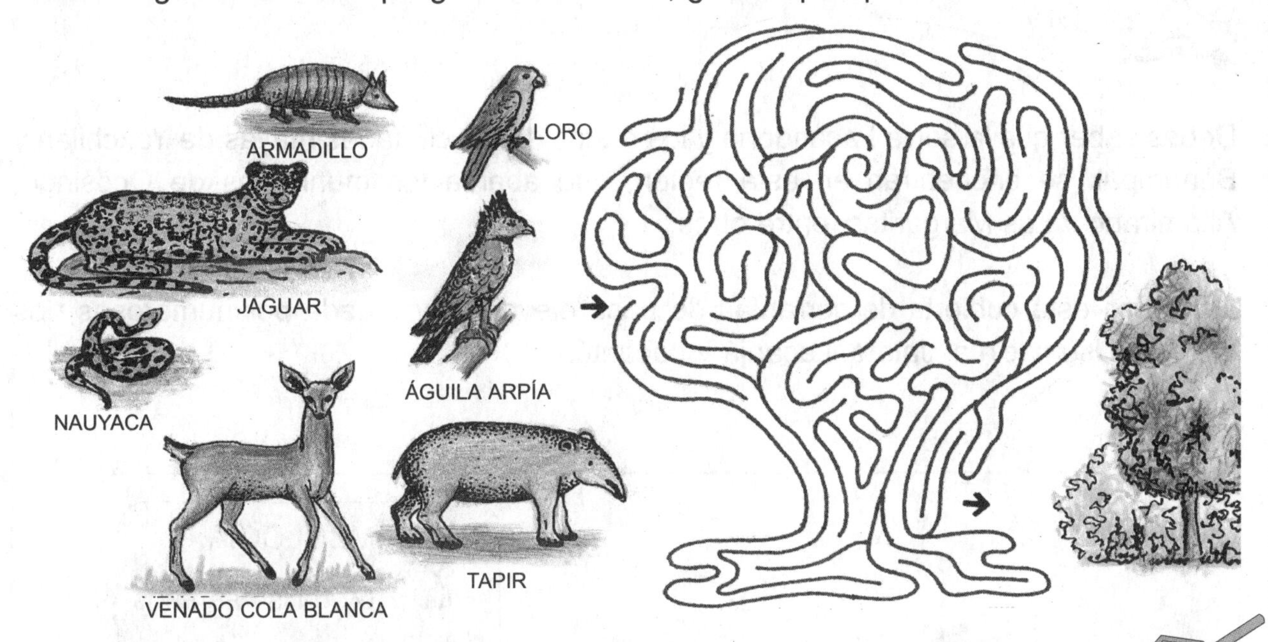

• ¡Vamos a jugar! Los animales que ves fueron capturados por comerciantes, a quienes interesaba ganar dinero sin cuidar nuestros recursos naturales. Estos animales afortunadamente fueron recuperados y ahora quieren regresar a la selva.
Ayúdales a encontrar el camino.

• En esta sopa de letras se encuentran los principales productos de la región: café, maíz, tabaco, ámbar, cacao, plátano, caña, frijol, carne, leche, queso, petróleo y mojarra. Búscalos y enciérralos con diferentes colores. Anótalos en tu cuaderno con el título “Productos de las Montañas del Norte”.

M	Z	O	O	O	Z	L	E	C	H	E
O	E	N	C	A	Ñ	A	Z	P	N	F
J	F	A	A	C	X	S	I	R	Q	R
A	A	T	B	A	M	B	A	R	Ñ	I
R	C	A	A	C	O	C	M	R	T	J
R	Y	L	T	H	Y	Q	U	E	S	O
A	X	P	E	T	R	O	L	E	O	L

Las Montañas del Norte se caracterizan por tener importantes reservas ecológicas y presas hidroeléctricas.

VI. MONTAÑAS DEL ORIENTE

Debes saber que la selva Lacandona y los restos de las ciudades mayas de Yaxchilán y Bonampak se encuentran en esta región, que abarca los municipios de Ocosingo, Altamirano y Las Margaritas, entre otros.

La región está cubierta de serranías de poca elevación y regada por numerosos ríos como el Usumacinta, Jatateé, Lacanjá y Lacantún.

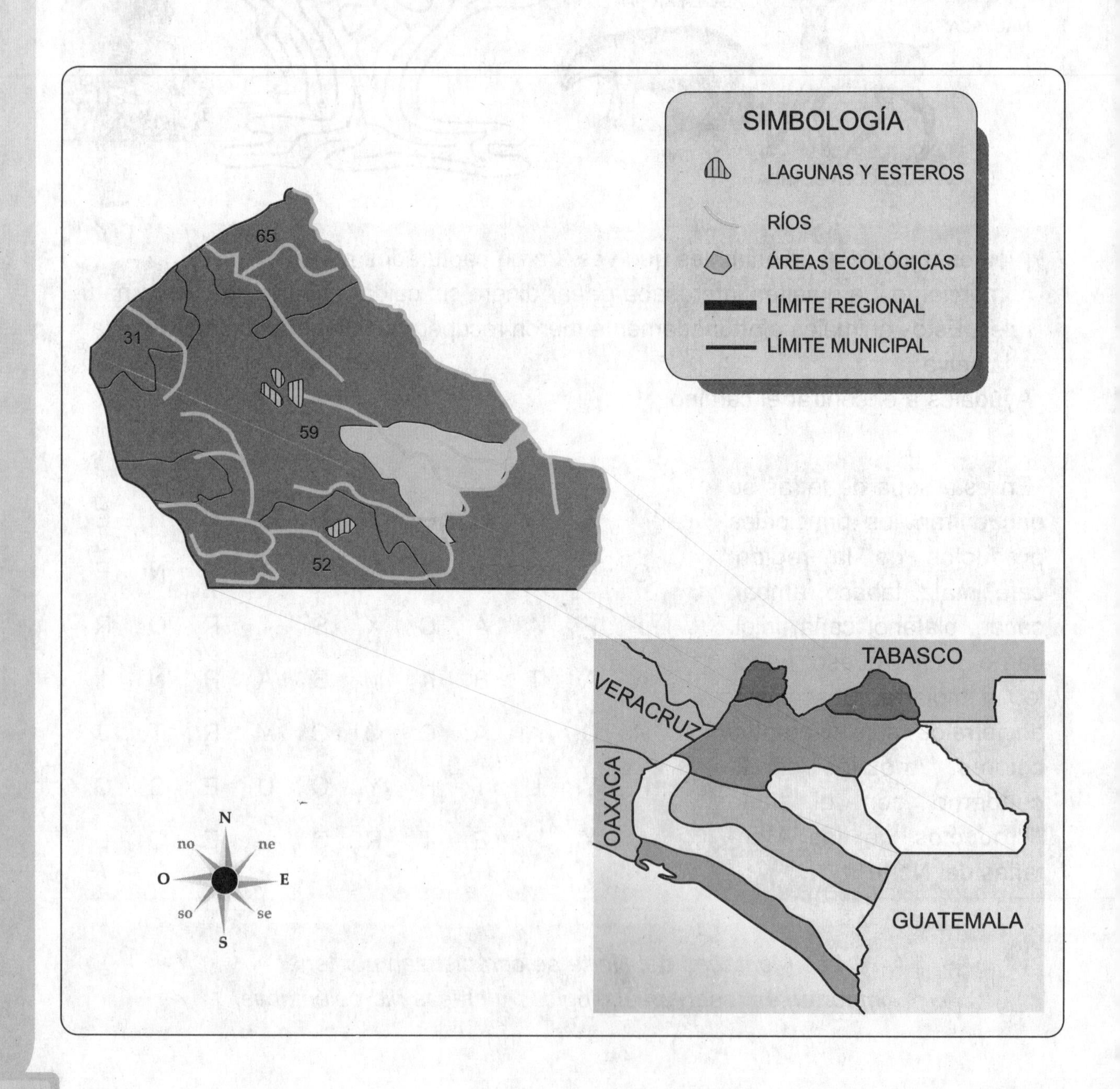

Predomina el clima cálido con lluvias la mayor parte del año; por eso, la vegetación es abundante, formada por árboles frondosos y de gran altura, que en ocasiones impide el paso de los rayos solares. Los más comunes son: ceiba, chicozapote, hule y amate. En esta región se encuentra la reserva ecológica "Montes Azules", de belleza extraordinaria.

También la fauna es variada y numerosa. Los animales que hay son: boa, nauyaca, coralillo, cocodrilo, puma, jaguar, leoncillo, mono, tapir, tucán, quetzal, guacamaya y otros.

Reserva ecológica Montes Azules.

Los habitantes de la región se dedican a la agricultura y cultivan maíz, frijol, chile, café, **cardamomo** y palma. También se dedican a la cría de ganado vacuno y porcino, y a la producción de miel de abeja.

- Con ayuda de tu maestro investiga por qué "Montes Azules" se convirtió en reserva ecológica.

Las Montañas del Oriente se caracterizan por su abundante vegetación de selva. "Montes Azules" es considerada como una de las reservas ecológicas más importantes de nuestro país.

VII. LLANURA COSTERA DEL GOLFO

Ocupa las dos salientes del norte del estado, abarcando los municipios de Juárez, Pichucalco, Salto de Agua, Palenque, Catazajá y La Libertad.

Predominan las llanuras bajas y suelos pantanosos, debido a la presencia de numerosos ríos que bajan de las Montañas del Norte, como el Pichucalco, Tacotalpa y Tulijá.

El clima es cálido y lluvioso durante la mayor parte del año, lo que favorece la abundancia de árboles como: guanacaste, palo mulato, morro, palmera y amate.

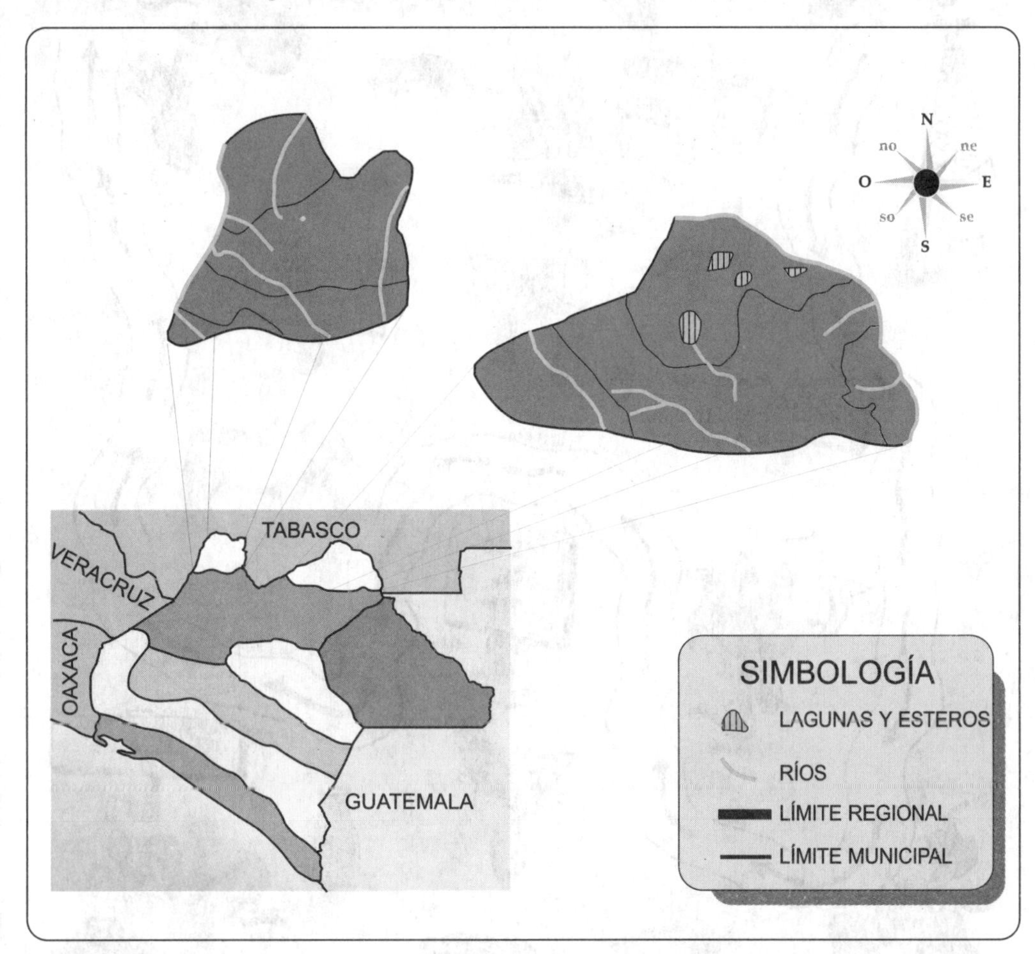

Los animales de la región son: nauyaca de río, cantil, coralillo, cocodrilo de río, caimán, tortuga, loro, chachalaca, garcita verde, armadillo, venado, zorrillo y tlacuache.

Los habitantes de la Llanura Costera del Golfo se dedican al cultivo del maíz, frijol, cacao, plátano y aguacate. Otras de las ocupaciones importantes de la región son la cría de ganado vacuno y la explotación petrolera.

La abundante producción agrícola, ganadera e industrial, favorecida por las vías de comunicación, permite que haya una gran actividad comercial.

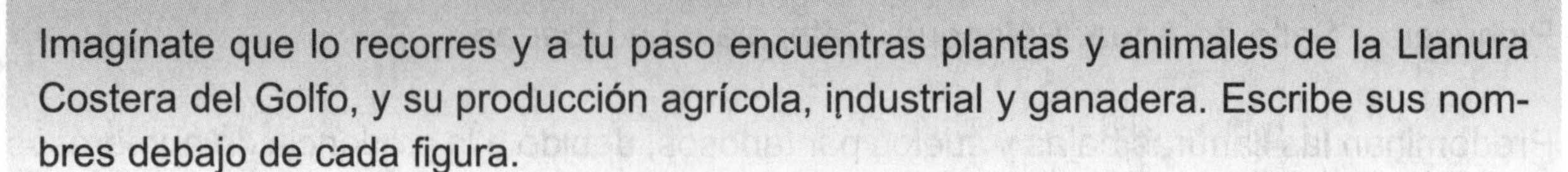

• La siguiente figura te muestra un caminito.

Imagínate que lo recorres y a tu paso encuentras plantas y animales de la Llanura Costera del Golfo, y su producción agrícola, industrial y ganadera. Escribe sus nombres debajo de cada figura.

La Llanura Costera del Golfo es rica en producción agrícola, ganadera, petrolera y de gran actividad comercial.

ZONAS URBANAS Y RURALES. PRINCIPALES CIUDADES Y ÁREAS AGROPECUARIAS

En nuestro estado la mayor parte de la gente vive en pequeñas poblaciones y comunidades rurales; la otra parte vive en ciudades o zonas urbanas. Algunas de las ciudades más importantes de nuestra entidad son: Tuxtla Gutiérrez, Tapachula, San Cristóbal de las Casas y Comitán.

Una zona urbana cuenta con servicios como energía eléctrica, agua potable, drenaje, bancos, escuelas, hospitales, hoteles, vías y medios de comunicación. En cambio, en las zonas rurales los servicios son más escasos, existiendo en ellas áreas de producción agrícola y ganadera. En estas zonas se produce principalmente: maíz, frijol, plátano, naranja, café, cacao, y se cría ganado. Las áreas de mayor importancia son: la Costa, el Soconusco, la Central, la Frailesca y el norte del estado.

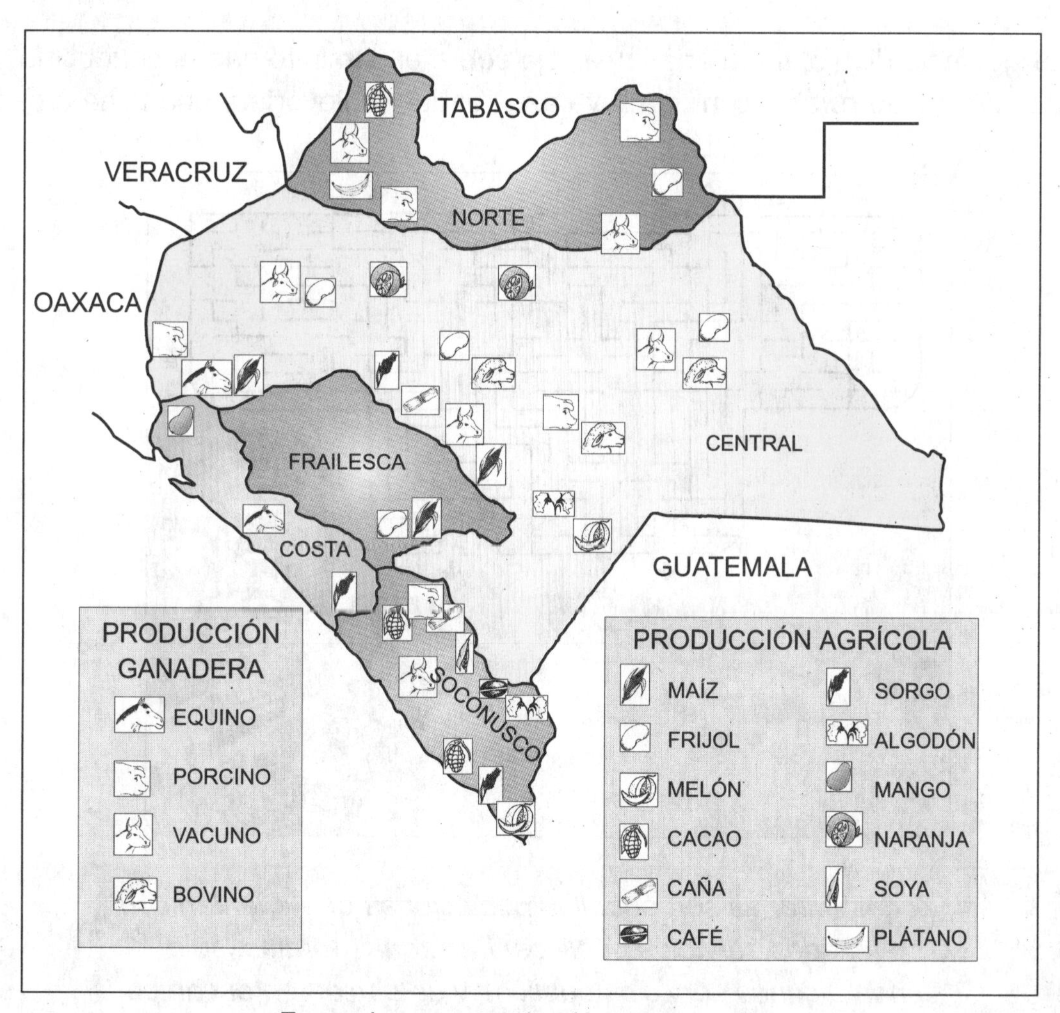

Zonas de mayor producción agropecuaria.

• De las siguientes fotografías, la primera corresponde a una comunidad urbana y la otra, a una comunidad rural. Escribe en tu cuaderno las diferencias entre ellas.

• En el siguiente dibujo, traza una línea roja sobre el caminito que te conduciría a una comunidad rural; y con una raya azul, el que te llevaría a una zona urbana.

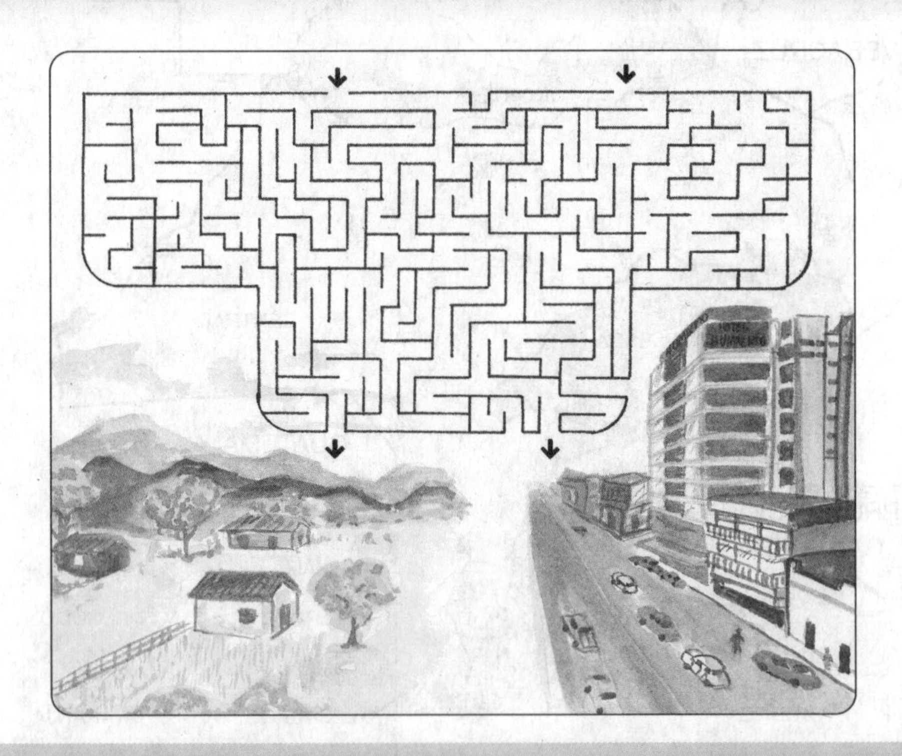

Zonas urbanas son aquellas poblaciones que cuentan con variados servicios públicos. Las zonas rurales, sólo tienen algunos servicios públicos y se ubican en el campo.

POBLACIÓN URBANA, RURAL E INDÍGENA DE NUESTRA ENTIDAD

Alguna vez te has detenido a pensar cómo son los habitantes de nuestra entidad?, ¿sabes cuántos somos?, ¿cuántos viven en las ciudades?, ¿cuántos habitan en zonas rurales?, ¿qué población indígena existe? Observa las siguientes figuras que representan los tipos de población de Chiapas.

Población urbana.

Población rural.

Población indígena.

Las siguientes figuras representan la población total de Chiapas y la parte que ocupa la población urbana, rural e indígena.

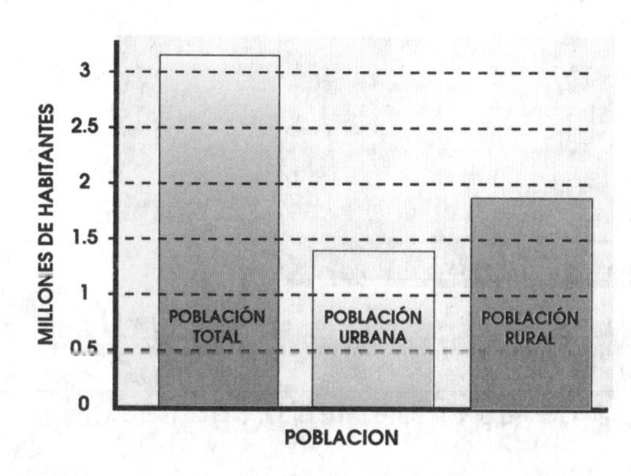

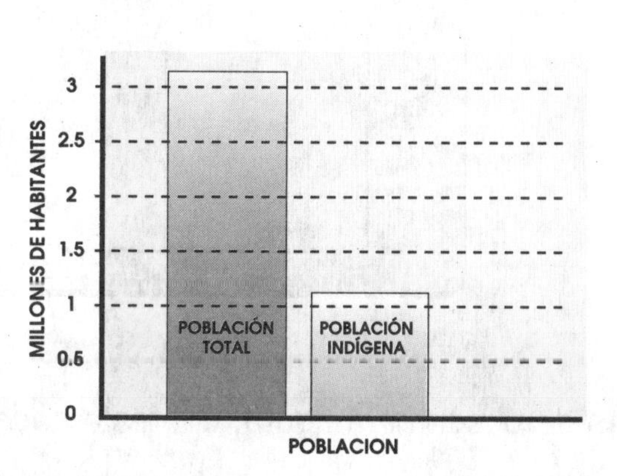

Con ayuda de tu profesor resuelve las siguientes preguntas:

- ¿Qué población es mayor, la urbana o la rural?_______________.
- Si comparamos la población urbana con la población indígena, ¿cuál es menor?_______________.

La población indígena de Chiapas se integra principalmente por los siguientes grupos : *tzeltal, tzotzil, chol, zoque, tojolabal, mame, lacandón y kakchiquel*. Estos pueblos han logrado permanecer, hasta nuestros días, con muchas de las costumbres y tradiciones heredadas de nuestros antepasados: los olmecas y los mayas.

Después de haber estudiado la población de Chiapas, observa la gráfica y compara las cantidades de población de los estados vecinos.

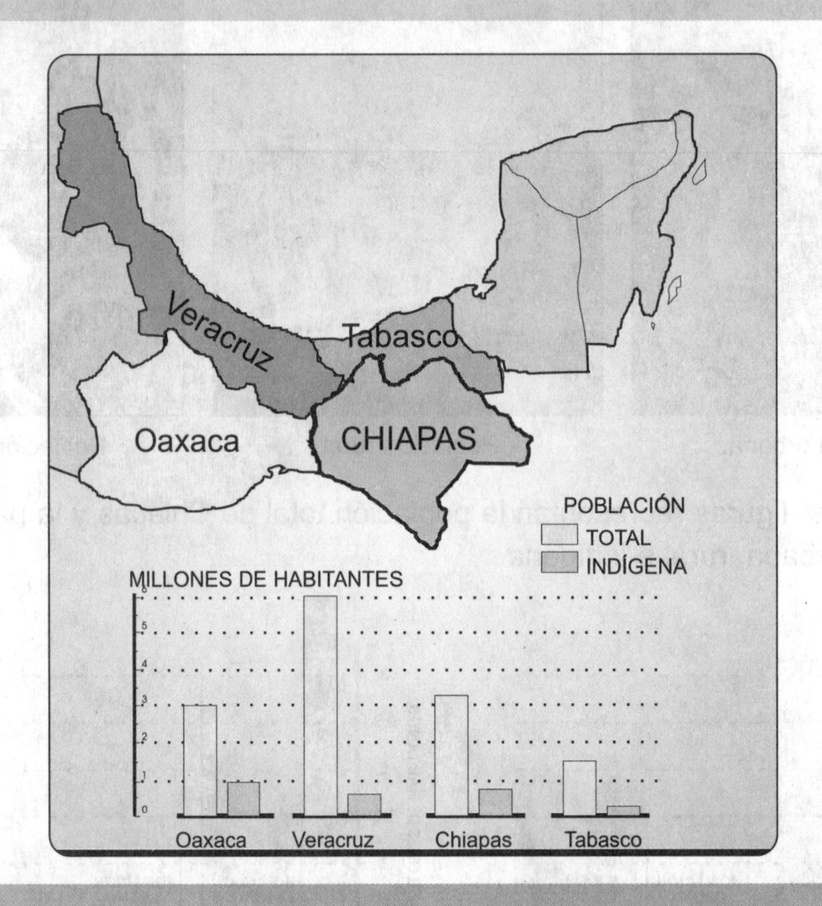

Después de observar la figura, contesta cada una de las siguientes preguntas:

- ¿Cuál entidad tiene mayor población? ___________________________.
- Y, ¿Cuál es la entidad de menor población? _________________________.

Una gran parte de la población de Chiapas es rural y dentro de ella un número considerable es indígena; el resto de la población es urbana.

VÍAS DE COMUNICACIÓN Y MEDIOS DE TRANSPORTE

Las vías de comunicación nos permiten transitar de un lugar a otro. Por ejemplo: un camino, una carretera, un río navegable, el mar y el aire.

Con los medios de comunicación como el periódico, el teléfono, el telégrafo, la radio o la televisión, enviamos mensajes o transmitimos nuestros pensamientos.

Los medios de transporte son recursos que nos sirven para trasladarnos de un lugar a otro por las vías de comunicación. Ejemplos: el caballo, la bicicleta, el camión, el ferrocarril, el barco y el avión.

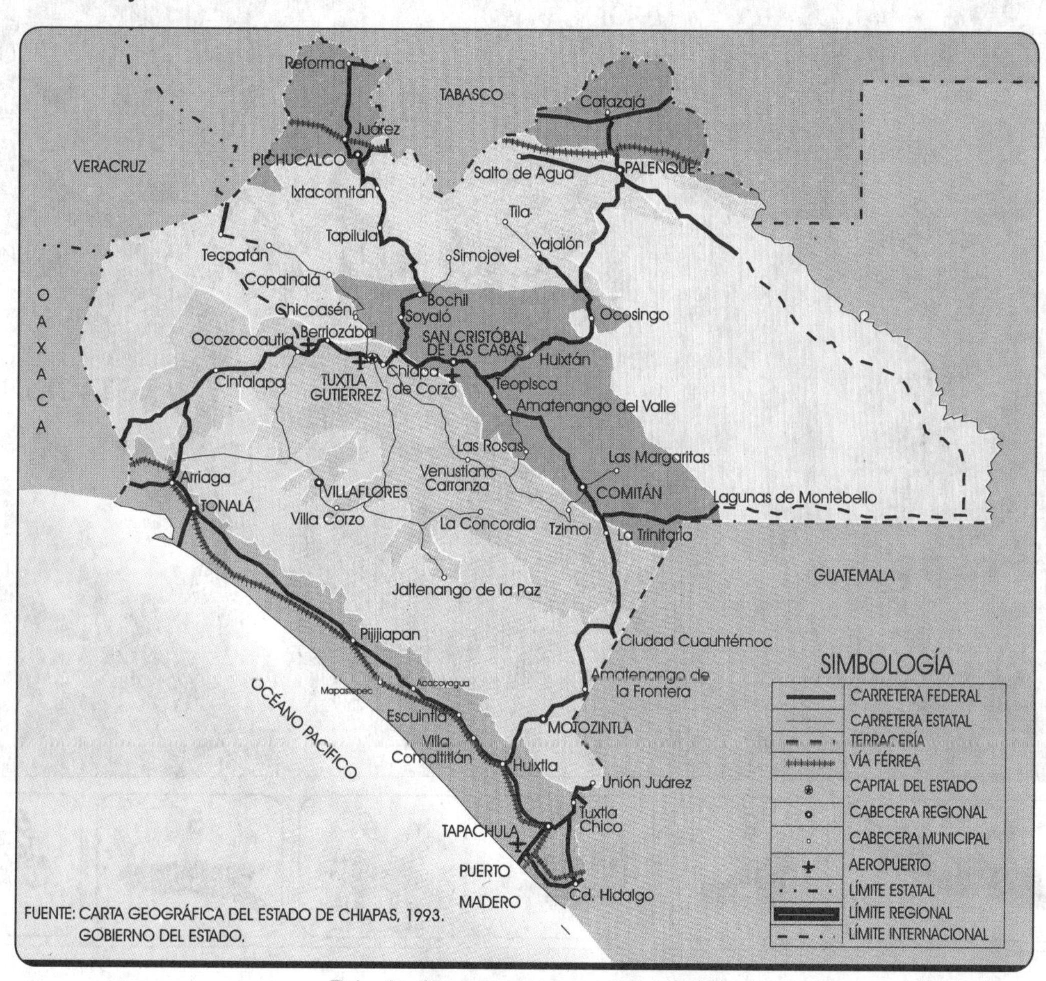

Principales vías de comunicación.

La entidad posee varias carreteras que unen a las principales poblaciones; sin embargo, se necesitan más y mejores carreteras porque la población rural todavía usa **caminos de terracería** y **caminos de herradura**.

José debe llevar la cosecha de naranjas de su huerto a la estación del ferrocarril; para ello, necesita transitar por algunas vías de comunicación. Ayúdale a escoger los medios de transporte que debe utilizar, escribiendo el número que tiene cada uno de éstos en los paréntesis de abajo.

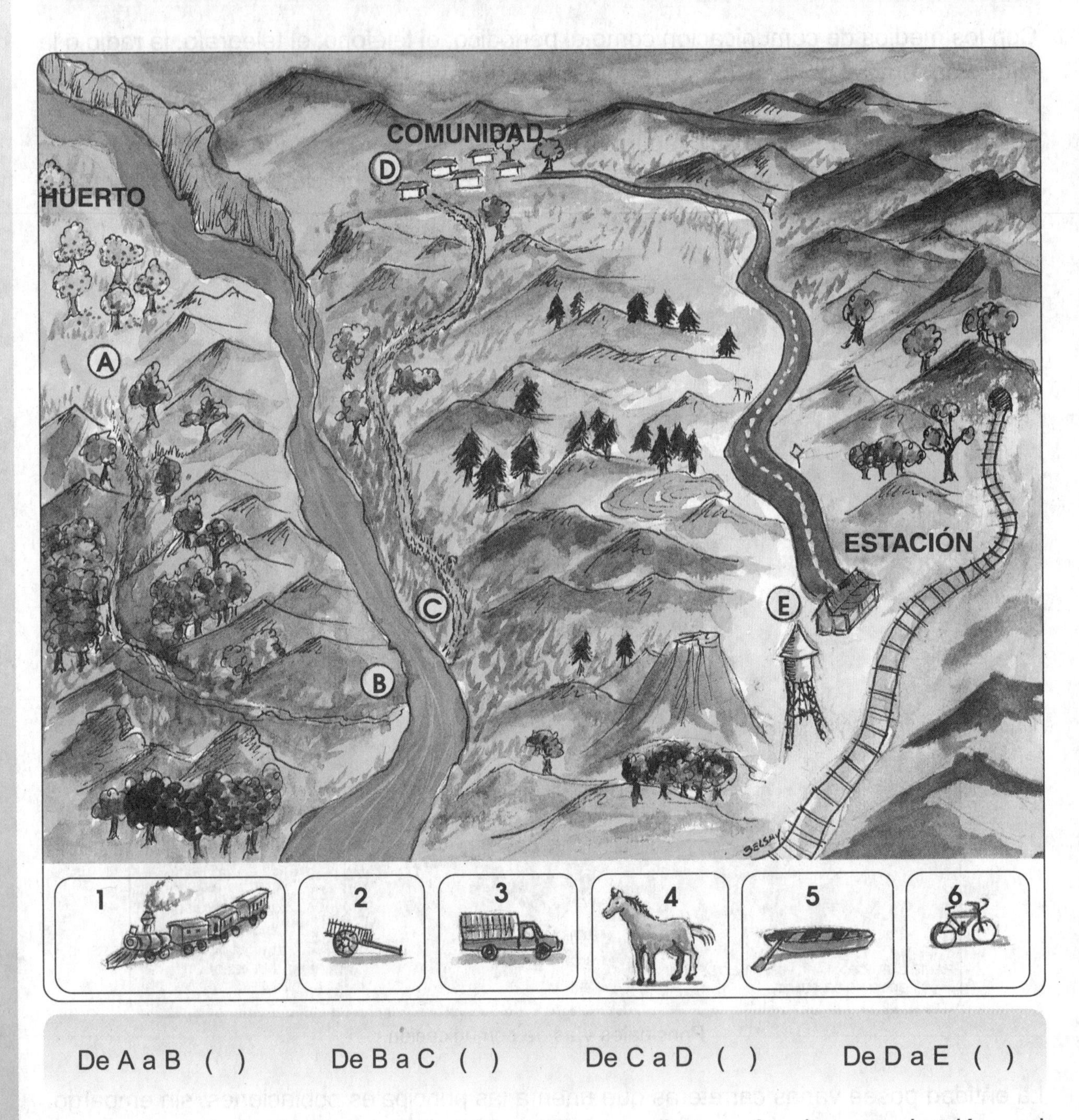

De A a B ( ) De B a C ( ) De C a D ( ) De D a E ( )

Los lugares por donde José transportó la cosecha se llaman vías de comunicación; y el burro, la canoa, la carreta y el camión son medios de transporte.

•Instrucciones: Forma un equipo de cuatro compañeros y jueguen usando un dado, piedritas, semillas, botones o fichas. Para avanzar, cada jugador debe tirar el dado y recorrer el número de casillas que éste haya marcado. Si una ficha llega a una casilla ocupada, la ficha que estaba en ese lugar, regresará dos números. El jugador que llegue al número 10, 15 ó 20 regresará tres casillas. El jugador que llegue primero al 26 será el ganador.

Los medios de transporte sirven para trasladarnos de un lugar a otro, utilizando vías de comunicación terrestres, marítimas y aéreas.
A través de los medios de comunicación recibimos y enviamos mensajes.

GOBIERNO ESTATAL

DIVISIÓN DE PODERES

Para administrar los recursos en el estado, existe una organización de personas que se llama **poder público** o gobierno, dividido en tres poderes: Legislativo, Ejecutivo y Judicial.

Los poderes Legislativo y Ejecutivo son elegidos por el pueblo a través del voto. Al Poder Judicial lo nombra el gobernador con la aprobación de la Cámara de Diputados local.

En la siguiente fotografía se ve el edificio donde el gobernador del estado de Chiapas realiza sus actividades en el ejercicio del Poder Ejecutivo.

Palacio de Gobierno en Tuxtla Gutiérrez.

El Poder Legislativo es ejercido a través del Congreso local, integrado por diputados elegidos por el pueblo y conocido como *Cámara de Diputados*.

El Poder Judicial está representado por el *Supremo Tribunal de Justicia*. Lo integran los **magistrados**, nombrados por el gobernador.

El Poder Legislativo o Cámara de Diputados, y el Poder Judicial o Supremo Tribunal de Justicia, funcionan en el edificio que se ve a continuación.

Residencia de los poderes Legislativo y Judicial en Tuxtla Gutiérrez.

FUNCIONES DE LOS PODERES DEL GOBIERNO DEL ESTADO

La **Constitución Política** del estado de Chiapas señala las funciones asignadas a cada uno de los tres poderes en que se divide el gobierno estatal.

Así, el gobernador del estado tiene como funciones principales las siguientes:

El gobernador realiza una de sus funciones.

Atender las necesidades de la población relacionadas con: educación, salud, seguridad, habitación, comunicación, obras públicas, trabajo y justicia, entre otras.

Publicar y ejecutar las leyes que apruebe el Congreso del estado.

Apegar sus actos de gobierno a las leyes.

A la Cámara de Diputados o Congreso del estado le corresponde realizar estas funciones:

Como representante del pueblo, escuchar sus peticiones sobre las modificaciones a las leyes.

Analizar, aprobar, modificar o rechazar las leyes que proponga el gobernador, el Supremo Tribunal de Justicia o los ayuntamientos.

Elaborar las leyes que sean necesarias para beneficio de los habitantes del estado.

Sesión del Congreso del estado.

Éstas son algunas de las funciones del Supremo Tribunal de Justicia:

✓ Nombrar a los funcionarios encargados de cuidar que las leyes se cumplan.

✓ Impartir justicia y buscar la armonía entre los ciudadanos.

✓ Sancionar a funcionarios que no cumplan con sus obligaciones.

La impartición de justicia es tarea del Poder Judicial.

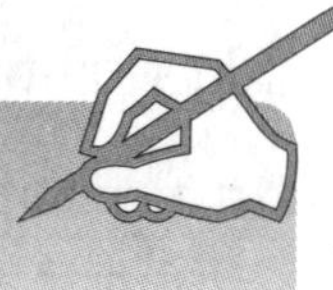

- Pregunta a tus papás quién es el representante del Poder Ejecutivo en tu entidad y escribe su nombre:_________________________________.

El gobierno estatal está integrado por los Poderes Ejecutivo, Legislativo y Judicial. La función de éstos es administrar los recursos, impartir justicia y procurar el bienestar de los habitantes

INTRODUCCIÓN AL ESTUDIO DEL PASADO

HISTORIA PERSONAL DEL NIÑO

BIOGRAFÍA DEL NIÑO

Tal vez en la escuela hayas escuchado la palabra biografía. Ésta se forma con los datos más importantes de la vida de algún personaje. Sin embargo, no solamente de ellos hay cosas que mencionar. Por eso, en esta ocasión, tú serás el personaje central de la biografía que juntos escribiremos.

- Para lograr nuestro propósito, llena los espacios en blanco con la información que se pide acerca de tu persona.

Mi nombre es ______________________________ ______________________________. Nací en ______________________________ el día __________ del mes de ____________________ del año de____________________. Mis hermanos se llaman ______________________________ ______________________________.
Mis padres se llaman ______________________________.
Ellos se dedican a______________________________ ______________________________. De mi familia, lo que más me gusta es ______________________________. Y lo que más me disgusta es ______________________________. De mi escuela, me agrada ____________________, aunque me desagrada ____________________. Mis diversiones favoritas son____________________. Me gusta tener amigos, y con los que mejor me llevo se llaman ______________________________ ______________. Las cosas agradables que yo recuerdo de cuando fui pequeño son ______________________________, y las más desagradables de esa época son ______________________________.

Hay muchas cosas que me gustaría hacer cuando sea grande, por ejemplo: _______ ______________. Cuando sea grande me gustaría ser como ______________.

- ¿Te habías hecho preguntas como las que acabas de contestar? Tus respuestas son importantes porque nos permiten conocerte mejor. Ahora, ya sabemos cosas que viviste antes, otras que actualmente vives y otras más que te gustaría vivir cuando seas mayor.

- Compara tu biografía personal con la de tus compañeros. Identifiquen semejanzas y diferencias.

EL PASADO DE LA FAMILIA

Es muy agradable recordar cómo era tu familia en tiempos pasados, por ejemplo, viendo fotografías de tus abuelos, de tus papás, de tus hermanos y de ti mismo, o comentando sucesos importantes de ellos.

- Pide a tus papás o a otros parientes que te muestren fotografías de la familia, o diles que te platiquen acerca de ella para que conozcas su pasado.
- Observa ahora la siguiente figura. Haz una semejante en tu cuaderno.

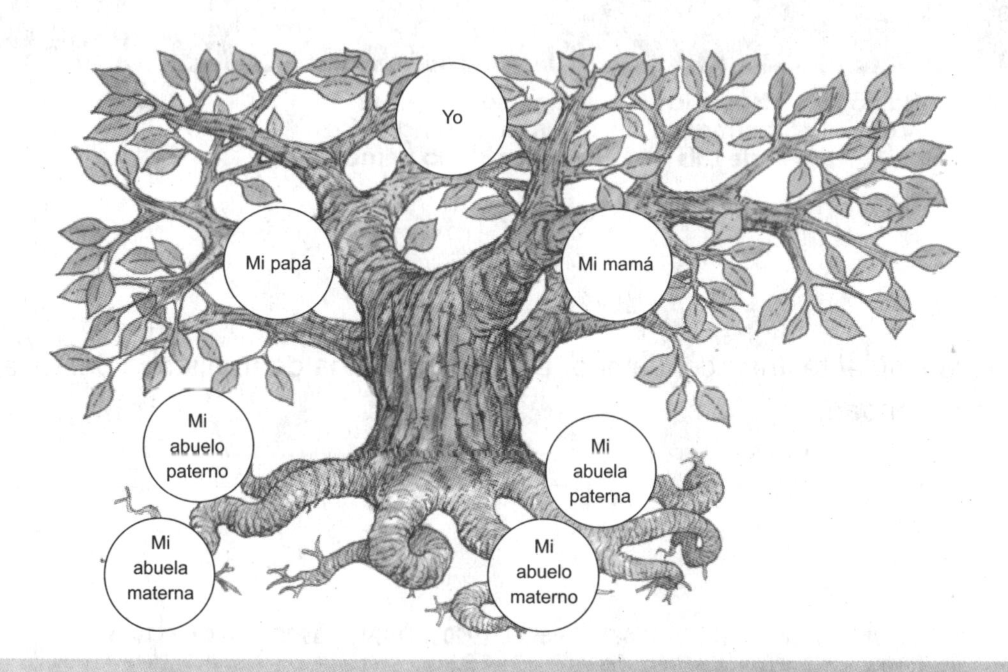

- En cada uno de los círculos, pega una fotografía o dibuja a la persona que se indica y escribe su nombre. Si lo crees necesario pídele a tu familia que te ayude. Esto que has hecho se llama árbol familiar o genealógico.

- Ordena los nombres de tu árbol familiar, anotando en el número uno al más joven, luego en el número dos al que le sigue, y así hasta llegar al de mayor edad de tu familia. Si tienes varios hermanos, sólo escribe el nombre de dos de ellos.

1________________ 2________________ 3________________
4________________ 5________________ 6________________
7________________ 8________________ 9________________

- ¿Qué sabes del pasado de tu familia? Coméntalo con tus compañeros de grupo.

- Vamos a hacer un ejercicio llamado línea del tiempo, en donde aparecen algunos datos de la historia personal de Luis. Este niño nació en 1985, y su hermana menor en 1987. Luis entró al jardín de niños en 1988 y a la escuela primaria en 1991. ¿Qué grado cursa actualmente?

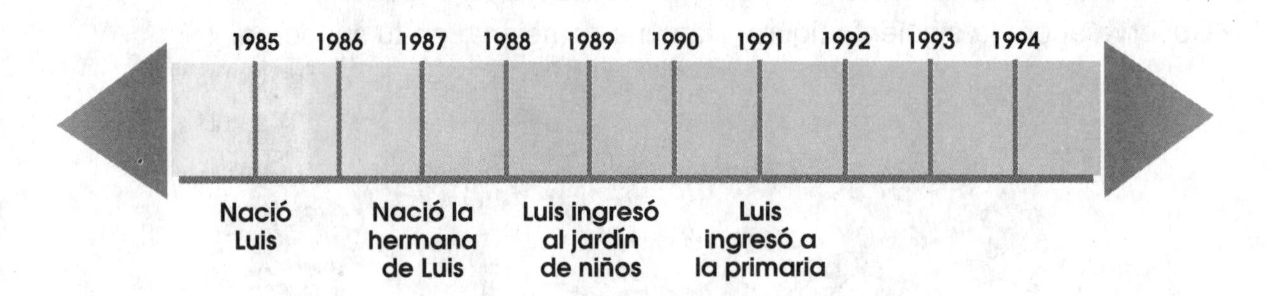

- Usando la siguiente línea del tiempo, escribe los datos de tu historia personal que correspondan.

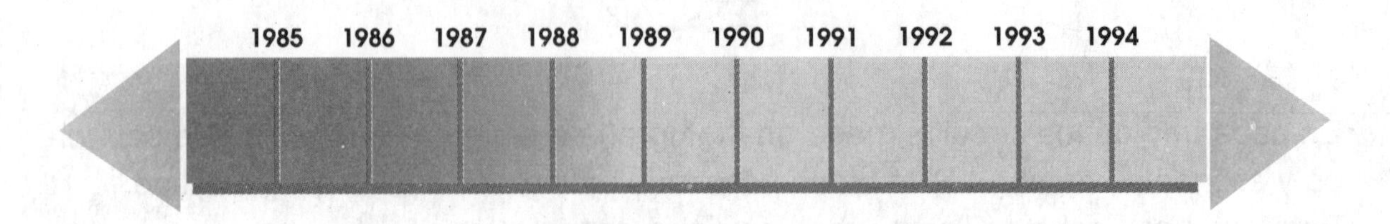

TESTIMONIOS DE LA HISTORIA PERSONAL Y FAMILIAR

Pedro es un niño como tú y también estudia tercer grado. Está platicando con su abuelita acerca de cómo era antes su familia.

Entonces... ¿Mi abuelito no trabajó más como peón?
Sí, pero ya no fue necesario cuando cosechamos lo que sembramos.
Y mis papás, ¿dónde se conocieron?
En el mercado. Ellos trabajaban ahí. Se hicieron novios y se casaron. Después pusieron su puesto de verduras.
También tenían una bodega, ¿verdad?
No, la construyeron hace poco para guardar la mercancía que entregan a los vendedores.
Oiga abuelita, ¿no siente usted un olor medio raro?
¡Ay hijito! ya se me quemaron los frijoles.

• ¿Terminaste de leer la historia de la familia de Pedro? Ahora utilizando los siguientes dibujos, escribe la historia de tu familia con la ayuda de tus abuelos o de tus papás. Si te falta espacio puedes continuar en tu cuaderno.

LA MEDICIÓN DEL TIEMPO

LA VIDA Y LAS COSAS CAMBIAN CON EL TIEMPO

Todo lo que nos rodea cambia con el tiempo. Si se trata de cosas como los juguetes, los libros, los carros o las casas, decimos que están nuevos o que están usados. Cuando nos referimos a las frutas empleamos las palabras verdes o maduras; y de las personas decimos que son niños, jóvenes, adultos y ancianos, según sea la edad de ellos.

Escribe los nombres de los miembros de tu familia :

Niños: ______________________________

Jóvenes: ______________________________

Adultos: ______________________________

Ancianos: ______________________________

Niños. Adultos. Ancianos.

• Ahora completa lo que aparece a continuación, usando las palabras que están enlistadas a la derecha.

Un carro puede estar ____________ o ____________.

Tú eres ____________.

Las naranjas pueden estar ____________ o ____________.

Un muchacho de diecisiete años, decimos que es ____________.

Tu papá es ____________.

Hay abuelitos que son ____________.

maduras
joven
adulto
usado
verdes
ancianos
niño
nuevo
niña

• ¿Te has imaginado cómo eran las cosas antes? Observa estos dibujos y juega con un compañero a buscar las diferencias que existen entre cada pareja de dibujos.

¿Cómo se mide el tiempo?

Es importante saber que podemos medirlo en períodos de 5 años llamados lustros, de 10 años, llamados décadas, o también en periodos de 100 años, a los que les decimos siglos.

La humanidad, además, tuvo que inventar algunas cosas como el reloj para medir las horas, y el calendario para señalar los días, las semanas y los meses.

Dibuja en el espacio de abajo algunos instrumentos que se utilizan para medir el tiempo.

Escribe cuántos años, lustros, décadas o siglos han transcurrido entre estas fechas:

De 1975 a 1994. __________ lustros y __________años.

De 1900 a 1994. __________décadas y _______años.

De 1910 a 1990. __________ décadas o _______lustros.

LA ENTIDAD TIENE HISTORIA

En las páginas anteriores estudiaste cómo tu historia está relacionada con tus abuelos, tus papás, tus parientes y las demás personas que han convivido contigo.

Así también, tu estado tiene una historia en la que es importante conocer lo que hicieron los antepasados, lo que hacemos todos los habitantes en él y lo que sucede en la vida diaria.

Observa los siguientes dibujos, en ellos puedes apreciar los cambios que se han dado en el modo de vestir de las personas, en la forma de construir sus casas, en el tipo de trabajo y en los medios de transporte, a través de distintos periodos de nuestra historia.

Todo cambia a través del tiempo.

Nuestra entidad, al igual que nuestro país también ha cambiado a lo largo de su historia. Ahora somos diferentes de como éramos antes.

Vida social en Chiapas después de la llegada de los españoles.

Han pasado muchos años y muchas cosas para llegar a lo que ahora conoces del estado de Chiapas. Durante todo ese tiempo, hubo personas, familias y pueblos que se esforzaron por mejorar su forma de vivir y lucharon contra los abusos y malos tratos de los patrones. Siempre hubo personas que guiaron a los demás para trabajar y luchar por la defensa de los derechos y por el mejoramiento de la vida de todos.

La forma de trabajar, de vestir, de pensar, de transportarse y de divertirse de los chiapanecos ha cambiado a través de los años. Ahora, los habitantes de nuestra entidad, nosotros, la familia, y las demás familias tenemos una forma diferente de ser y de vivir.

El Chiapas de nuestro tiempo.

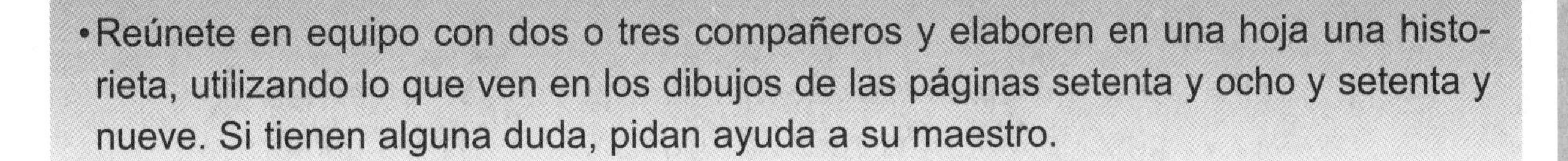

- Reúnete en equipo con dos o tres compañeros y elaboren en una hoja una historieta, utilizando lo que ven en los dibujos de las páginas setenta y ocho y setenta y nueve. Si tienen alguna duda, pidan ayuda a su maestro.

¿QUÉ ESTUDIA LA HISTORIA?

En lecciones anteriores dijiste muchas cosas de ti. Más adelante, elaborando tu árbol genealógico y refiriéndote al pasado de tu familia, escribiste tu historia familiar. Finalmente, conociste una serie de dibujos que te mostraron cómo ha sido Chiapas. Así has conocido un poco de su historia.

La historia nos ayuda a conocer los cambios de las personas, familias, comunidades y pueblos en general. También la historia nos permite saber la relación que hay entre lo que ya pasó, y lo que está pasando.

- Observa la ilustración que se presenta a continuación:
- Con ayuda de tu maestro, identifica la secuencia de los momentos históricos de nuestra patria.
- Coméntalos con tus compañeros de grupo.

Diversos momentos de la historia de México.

La historia permite explicar las relaciones del presente con el pasado. También nos ayuda a darnos cuenta de los cambios de las personas, familias, comunidades y sociedad en general a través del tiempo.

LOS ANTEPASADOS DE NUESTRO PUEBLO

PRESENCIA DEL HOMBRE EN CHIAPAS

A continuación se presenta un diálogo entre Miguel y Pedro, que te permitirá el conocimiento de nuestros antepasados.

- ¿Sabes en dónde hay evidencias de la presencia de los primeros hombres que llegaron a Chiapas?, le preguntó Miguel a Pedro.

- ¡Claro que sí!, contestó Pedro. Fíjate que mi tío José Sarmiento me contó la otra noche que hace 30 años unos **arqueólogos** estuvieron haciendo **excavaciones** cerca de Ocozocoautla, en unas cuevas llamadas Santa Martha, Los Grifos y la Cima de la Cotorra.

Observa dónde están ubicadas las cuevas.

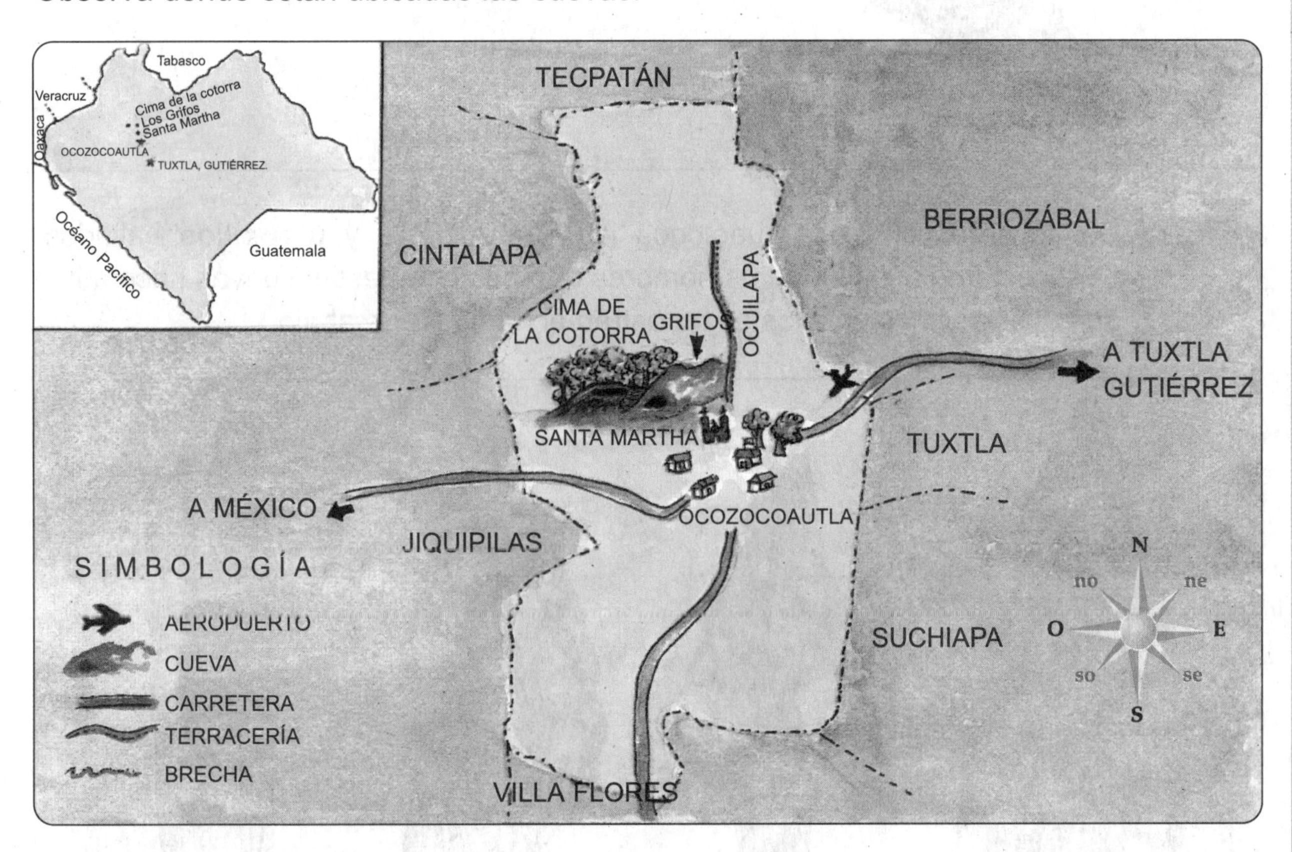

- ¿Y qué encontraron en esas cuevas?, preguntó Miguel.
- ¡Asómbrate! encontraron piedras labradas y pulidas como puntas de lanzas, flechas y otras cosas que tenían varios filos llamados raspadores, **raederas** y navajas. También localizaron algunos colmillos de animales y semillas convertidos en fósiles.

• Si quieres conocer otra herramienta que se encontró en esas cuevas, une mediante una línea los números del 1 al 2, del 2 al 3, y así hasta terminar.

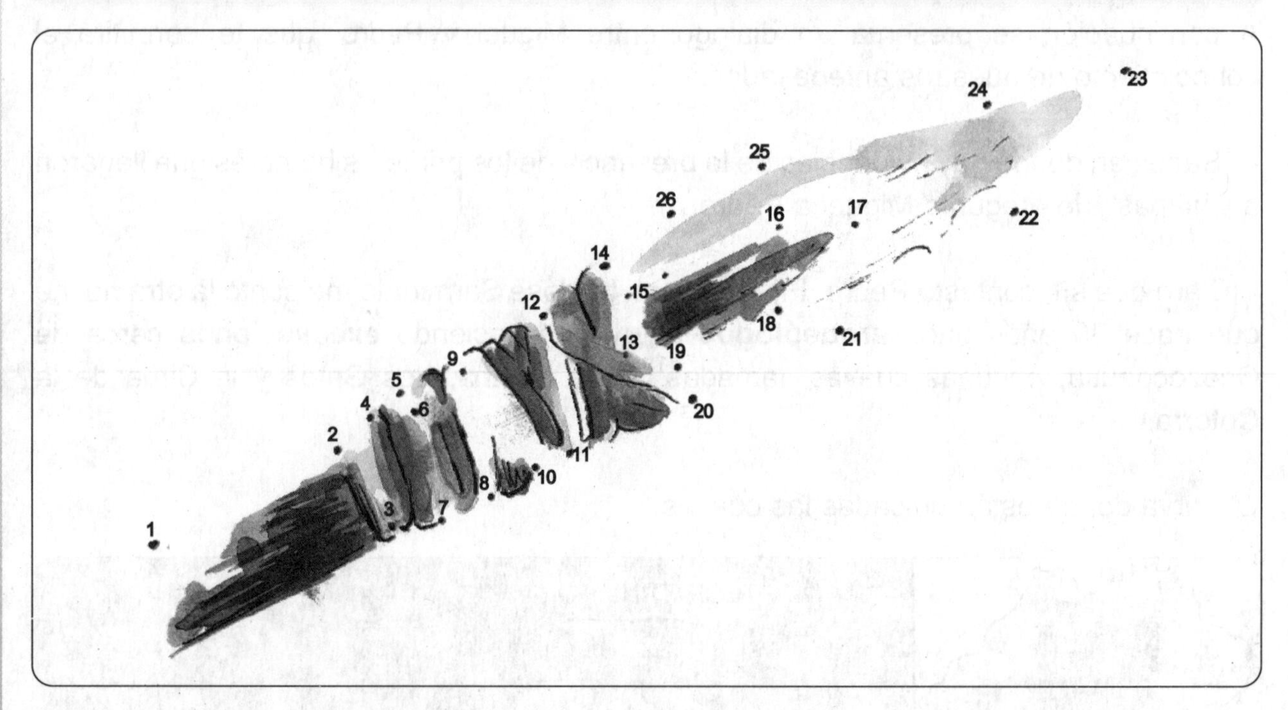

De acuerdo con los arqueólogos las herramientas y **utensilios** hallados, pertenecieron a los primeros hombres que habitaron estas cuevas hace miles de años. Algunas de ellas se muestran en la figura de abajo.

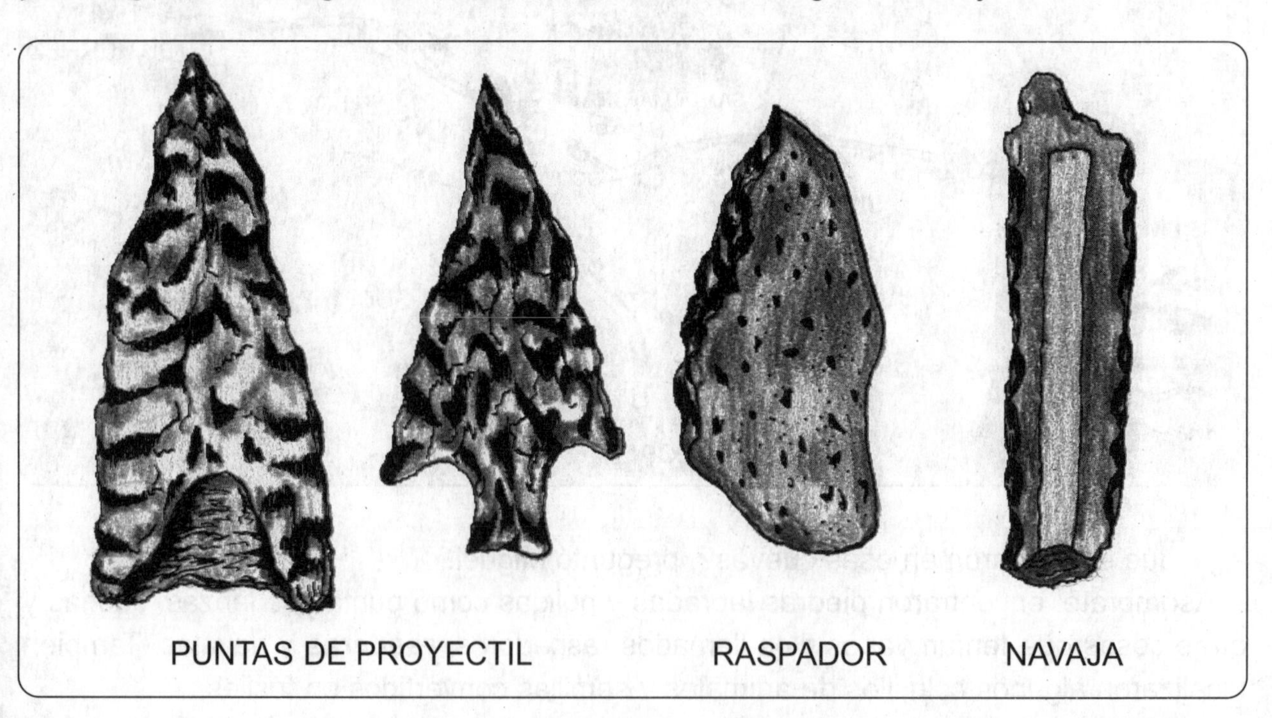

- ¿Y sabes de dónde vinieron estos hombres?

- Sí. Estos primeros pobladores vinieron del continente asiático, cruzando el estrecho de Bering, que en aquel tiempo se encontraba congelado.

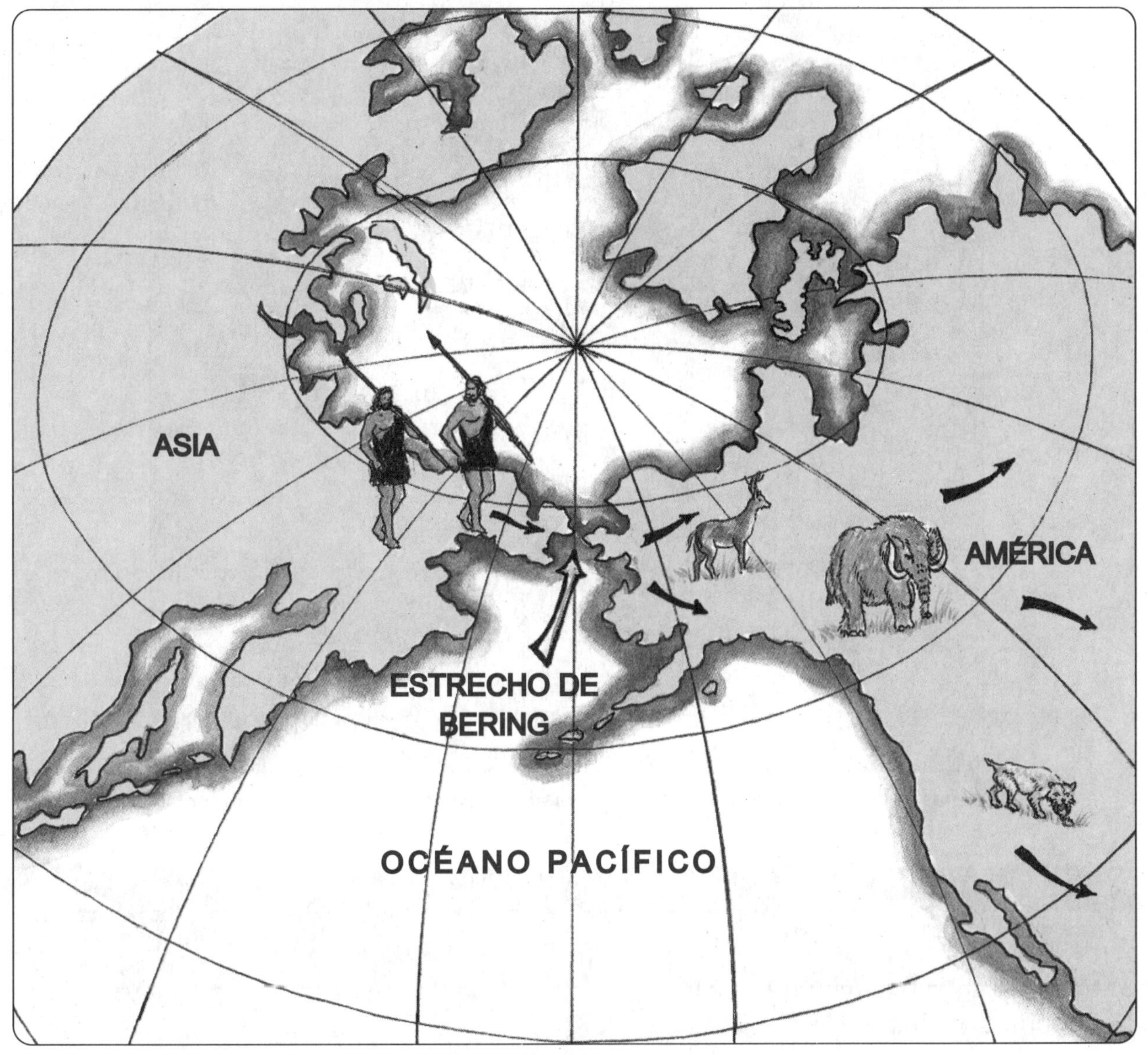

Llegada del hombre a América.

¡Así, la historia nos señala cómo el hombre llegó a nuestro continente!

Procedentes del norte, después de caminar por mucho tiempo, entraron a lo que hoy es el territorio mexicano y más tarde, llegaron a lo que ahora es Chiapas. Algunos se establecieron en este lugar y otros continuaron hacia América del Sur dejando huellas de su paso.

Ejemplo de lo anterior son las cuevas de Teopisca, Aguacatenango y San Cristóbal, que se encuentran en la Altiplanicie Central o Altos de Chiapas; Los Grifos, Santa Martha y la Cima de la Cotorra, en la Depresión Central, y Chantuto, en la Llanura Costera del Pacífico.

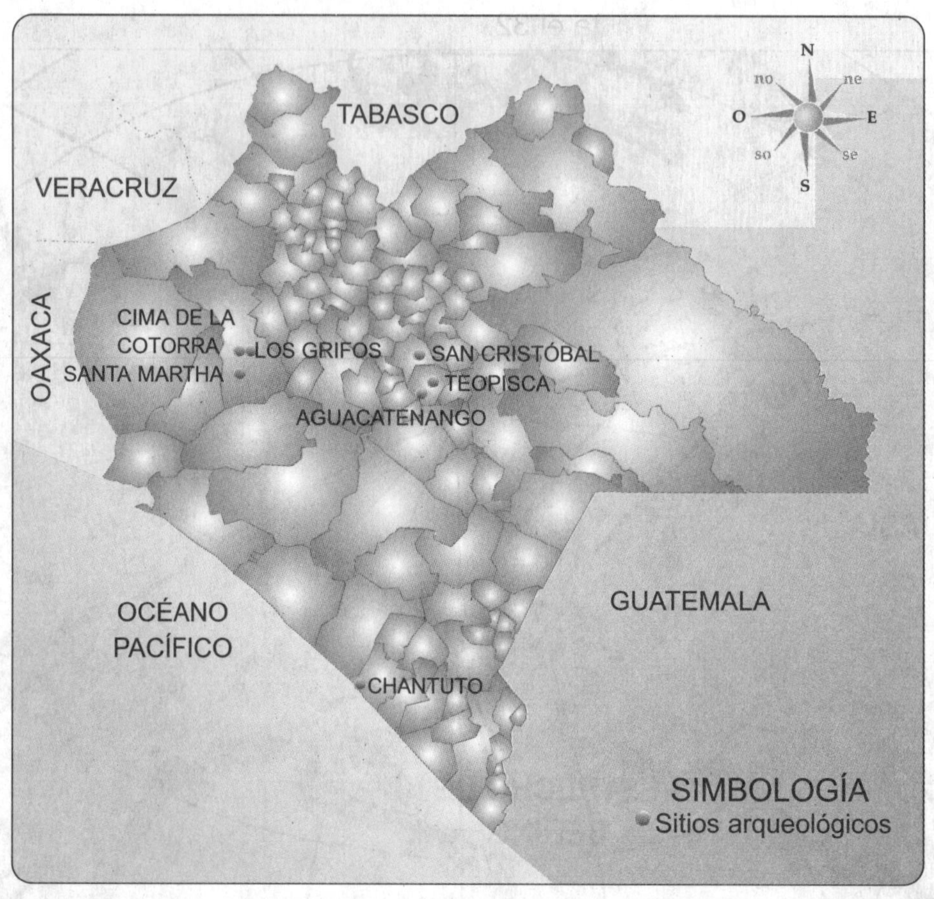

Lugares más importantes que muestran la presencia de los primeros hombres en Chiapas.

A continuación realiza el siguiente ejercicio:

- Dibuja en una hoja el mapa de arriba.
- Recórtalo y pégalo en una hoja de papel.
- Busca figuras que representen los primeros hombres que poblaron América.
- Recórtalas y pégalas en los lugares señalados en el mapa.
- Al terminar el trabajo, preséntalo en clase.

Existen evidencias de que los primeros pobladores de Chiapas llegaron del norte, y que se establecieron en diferentes lugares de nuestra entidad.

DE CAZADORES A AGRICULTORES

¿Sabes cómo son los elefantes? Quizá los hayas visto en el circo, en la televisión, en películas o en algunas revistas. Estos animales son parecidos a otros que existieron hace muchos años. ¿Quieres saber cómo eran? Une los números 1, 2, 3, 4, hasta el 32.

¿Qué dibujo resultó? Este animal es un mamut, y podemos considerarlo como el antepasado de los elefantes de ahora.

También en Chiapas existieron muchos mamuts. Los hombres de las cavernas los cazaban, las pieles las utilizaban para cubrirse y la carne para alimentarse.

Además del mamut había otros animales que les servían de alimento, como el tlacuache, jabalí, mapache, armadillo, venado, musaraña, entre los más importantes.

Los hombres se dedicaban a la caza y las mujeres y los niños a la recolección de semillas, raíces y frutos, así como a la pesca en ríos y lagunas.

Poco a poco el hombre dejó de ser *nómada*; es decir, ya no anduvo de un lugar a otro buscando alimento, porque descubrió que podía cultivar maíz, frijol, calabaza y chile. ¡Así surgió la agricultura! También aprendió a domesticar algunos animales. Se volvió **sedentario** por la necesidad de cuidar sus cultivos y animales.

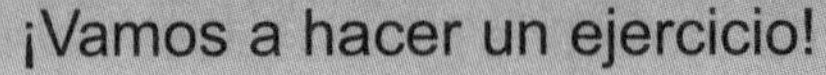

¡Vamos a hacer un ejercicio!

En el dibujo de abajo hay siete herramientas escondidas que los hombres nómadas y los hombres sedentarios utilizaban. Localízalas y enciérralas en color rojo. Después escribe abajo de cada hombre, los nombres de los utensilios y herramientas que le correspondan.

Al practicar la agricultura y domesticar a algunos animales, los hombres, se convirtieron en sedentarios, surgiendo así las primeras poblaciones.

LOS MAYAS

Con el conocimiento de la agricultura y la domesticación de animales, los hombres formaron grupos organizados como los olmecas y los mayas.

Murales de Bonampak.

¿Conoces este mural? Fue pintado hace siglos por una cultura que habitó en Chiapas, Yucatán, Quintana Roo, Campeche y parte de Tabasco. Los mayas, integrantes de esta cultura, construyeron ciudades que todavía hoy se pueden apreciar en diversos sitios de estas entidades. Las ciudades mayas eran como éstas. Observa las fotografías de la zona arqueológica de Palenque, Chiapas.

Templo de las Inscripciones.

El Palacio.

En la fotografía de la derecha apreciamos un palacio donde los gobernantes mayas vivían, además de una torre que se utilizaba para observar las estrellas y planetas. La fotografía de la izquierda muestra el Templo de las Inscripciones, en cuyo interior se encuentra la tumba de un gobernante llamado Pakal, nombre que significa *escudo*.

Es importante que conozcamos los lugares en donde los mayas construyeron sus ciudades. Esto nos permite apreciar lo grandiosa que fue esta cultura. Además de *Palenque*, los mayas fundaron otras ciudades en tierras chiapanecas, de las cuales quedan algunos **testimonios**. Tal es el caso de *Bonampak, Yaxchilán, Toniná y Chinkultic*. Estos lugares, hermosos e interesantes, son visitados por personas de todo el mundo.

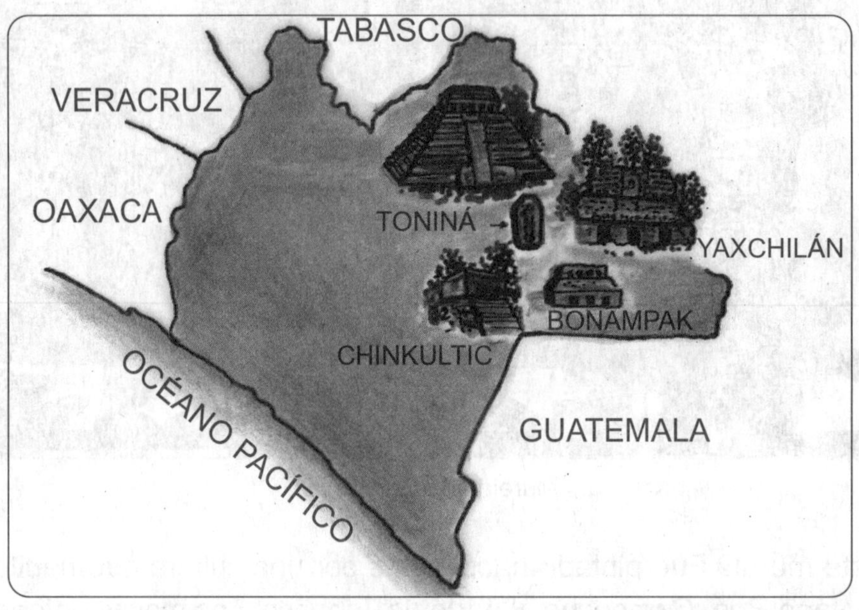

Ubicación de las ciudades mayas en el estado de Chiapas.

En cada ciudad los mayas tenían un juego de pelota que practicaban en patios. El juego tenía relación con las creencias religiosas.

Jugador de pelota.

De la misma manera, crearon un *sistema astronómico* que les permitió anunciar con anticipación: eclipses, movimientos de los astros y periodos de lluvia. Además de elaborar un calendario, desarrollaron un sistema completo de escritura y numeración. Actualmente conservamos textos en escritura maya que no han sido descifrados en su totalidad por desconocerse el significado de algunos **símbolos**.

• ¿Te gustaría jugar a ser arquéologo?
Fíjate en el significado de los símbolos de la escritura maya que se te presentan a continuación.

SIGNIFICADO DE ALGUNOS SÍMBOLOS MAYAS

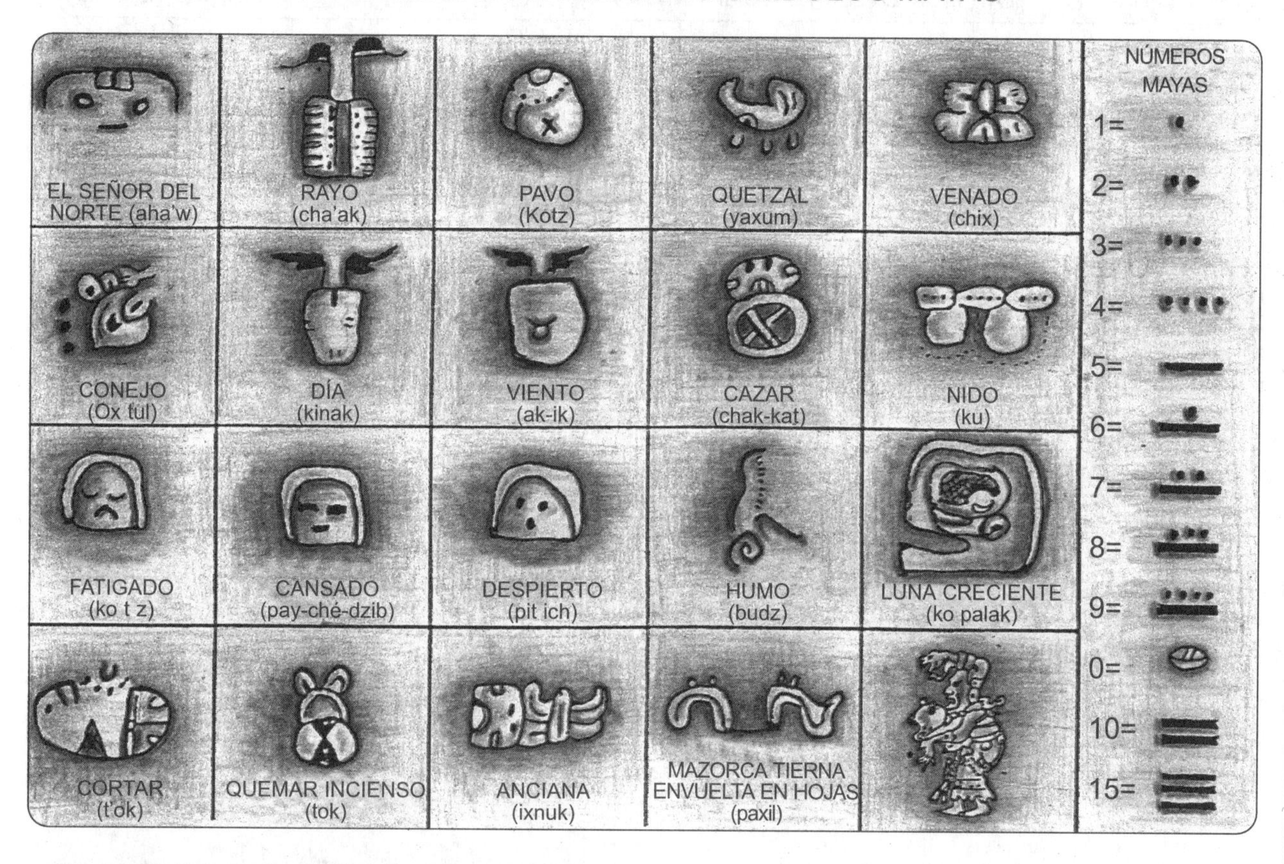

• Ahora observa la ilustración de la derecha, que representa un códice maya, documento donde se escribían los acontecimientos más importantes de un pueblo.

• Descifra este códice usando la información de arriba. Fíjate en el ejemplo de la página siguiente.

Códice maya.

Para formar algunas expresiones hay que agregar las palabras faltantes. Ejemplo:

Descifra lo que quieren decir los siguientes símbolos. Usa la clave.

Entre los mayas hubo grandes artistas, arquitectos y sabios. La influencia de otros grupos como los olmecas, toltecas y teotihuacanos, hizo posible que alcanzaran un alto nivel cultural.

El vestuario y los adornos que los mayas llevaban, indicaban la clase social a la que pertenecían. Así tenemos que los personajes importantes como gobernadores, sacerdotes y guerreros usaban **pectorales**, brazaletes, orejeras, narigueras, sandalias, túnicas, collares y hermosos tocados. Por el contrario, los mayas que integraban el resto del pueblo como agricultores, comerciantes, artesanos y esclavos, andaban con un vestuario más sencillo.

El gobernante, entre los mayas, recibía el nombre de *Halach Uinic*, que quiere decir "El verdadero hombre".

Descubre este personaje, por la vestimenta que usa.

•Escribe el nombre de la ropa y los adornos que lleva puesto:

___

___

___

•¿A qué clase social consideras que pertenecía este personaje? Señálalo en el paréntesis respectivo.

- Sacerdote ( )
- Esclavo ( )
- Agricultor ( )

•¿Sobre quién está parado?

___

•¿A qué clase social pertenece el hombre que está abajo de los pies del personaje?

- Sacerdote ( )
- Esclavo ( )
- Agricultor ( )

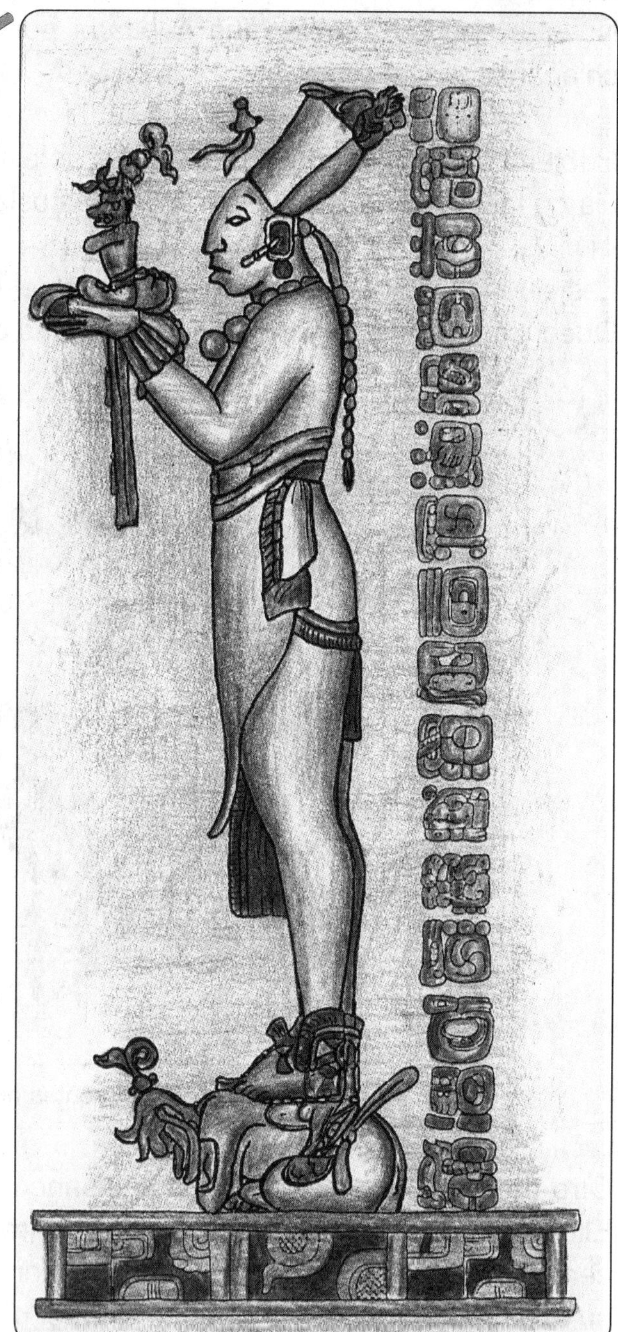

Parte del tablero del Templo del Sol en Palenque.

Llegó un momento en que los mayas abandonaron sus pueblos. ¿Sabes por qué? Estudiosos de la cultura maya señalan que su decadencia se debió a las guerras que tuvieron entre ellos mismos y con otros pueblos, o bien a la falta de alimento provocada por las malas cosechas. Por eso, algunos decidieron irse a vivir a la península de Yucatán, otros se establecieron en diferentes lugares del estado de Chiapas. Luego del abandono de las ciudades es posible que muchos hayan emigrado hacia las regiones vecinas.

Nuestra entidad también fue habitada por otros grupos, como los olmecas, zoques, chiapanecas y mexicas.

Hablemos de los zoques. Este pueblo se extendió al oeste de Chiapas y recibió influencia de los olmecas, que vinieron de las costas de Veracruz.

Las ciudades zoques se establecieron en el Cerro Ombligo, cerca de Ocozocoautla y en Quechula, hoy desaparecida por las aguas de la presa "Nezahualcóyotl".

Ubicación de los diferentes pueblos indígenas en Chiapas.

Otro de los grupos fue el de los chiapanecas, quienes se distinguieron por su valentía. Ellos vinieron del norte del país, se ubicaron en la costa de Chiapas y después en las cercanías del río Grijalva, fundando Soctón Nandalumí o Chiapan; en poco tiempo, por su espíritu guerrero, se convirtieron en el pueblo más importante del centro del estado.

¿Sabías que los mexicas vinieron del centro del país, a conquistar estos pueblos? Tiltototl, guerrero mexica, venció a los tzotziles de Zinacantán y a los tapachultecas en Huehuetán. De esta manera establecieron su dominio en estas tierras.

Los mayas construyeron hermosas ciudades; sobresalieron en la arquitectura, escultura, pintura, matemáticas y astronomía.

LA CONQUISTA DE CHIAPAS

En esta lección vamos a estudiar sobre la conquista de Chiapas. Antes, debes saber que el 12 de octubre de 1492, un navegante europeo llamado Cristóbal Colón, buscando nuevas rutas para llegar a las Indias llegó al continente americano.

A su regreso a España, dio un informe detallado sobre las riquezas que existían en estas tierras, por lo que, años más tarde, llegaron otras expediciones.

En uno de esos viajes venía Hernán Cortés, quien después de desembarcar en Veracruz se dirigió a Tenochtitlan.

Se libraron muchas batallas hasta que los españoles lograron someter a los mexicas gracias a que tenían como aliados a otros grupos indígenas y a que sus armas eran superiores. Veamos por qué...

El tipo de armas que usaron los españoles fueron: **arcabuz**, lanza, escudo de metal, cañón y espada. Los indígenas, el arco y la flecha, escudo de piel, honda, macana y lanza de madera.

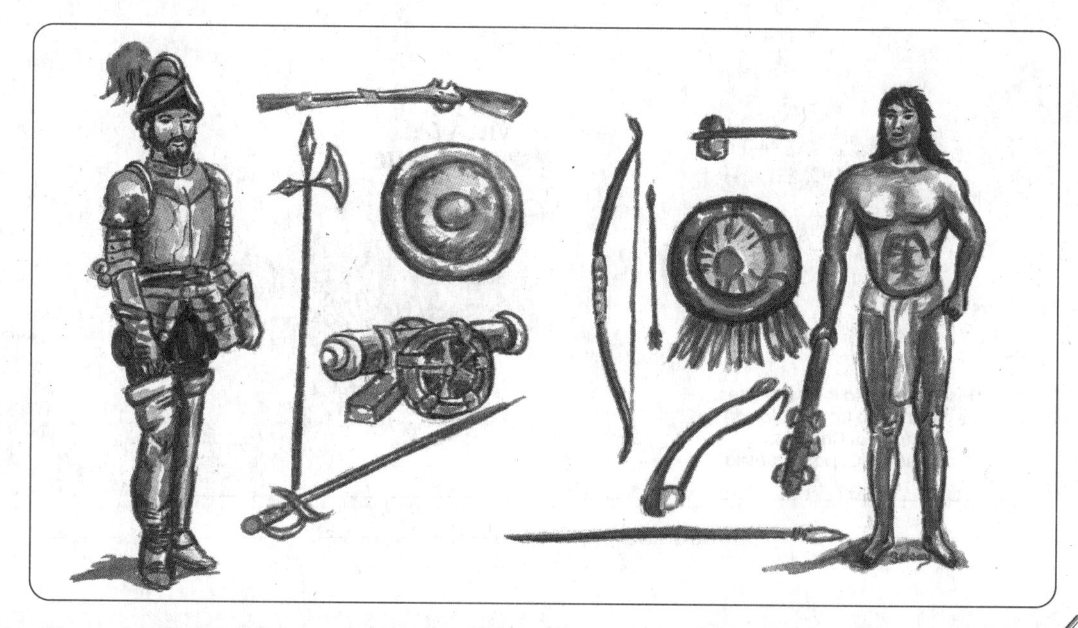

- Dibuja en tu cuaderno las armas que usaron los españoles y los indígenas. Escribe sus nombres.

- Al finalizar la actividad, comenta con tus compañeros la diferencia entre cada una de ellas.

Vencidos los mexicas, fue derribada la ciudad de Tenochtitlan y sobre ella se construyó la capital de la Nueva España.

En las tierras sometidas por los españoles se fundaron pueblos. Así, el capitán español Gonzalo de Sandoval salió de la capital de la Nueva España para fundar la Villa del Espíritu Santo -hoy Coatzacoalcos- construida cerca del río del mismo nombre, en el sur de Veracruz.

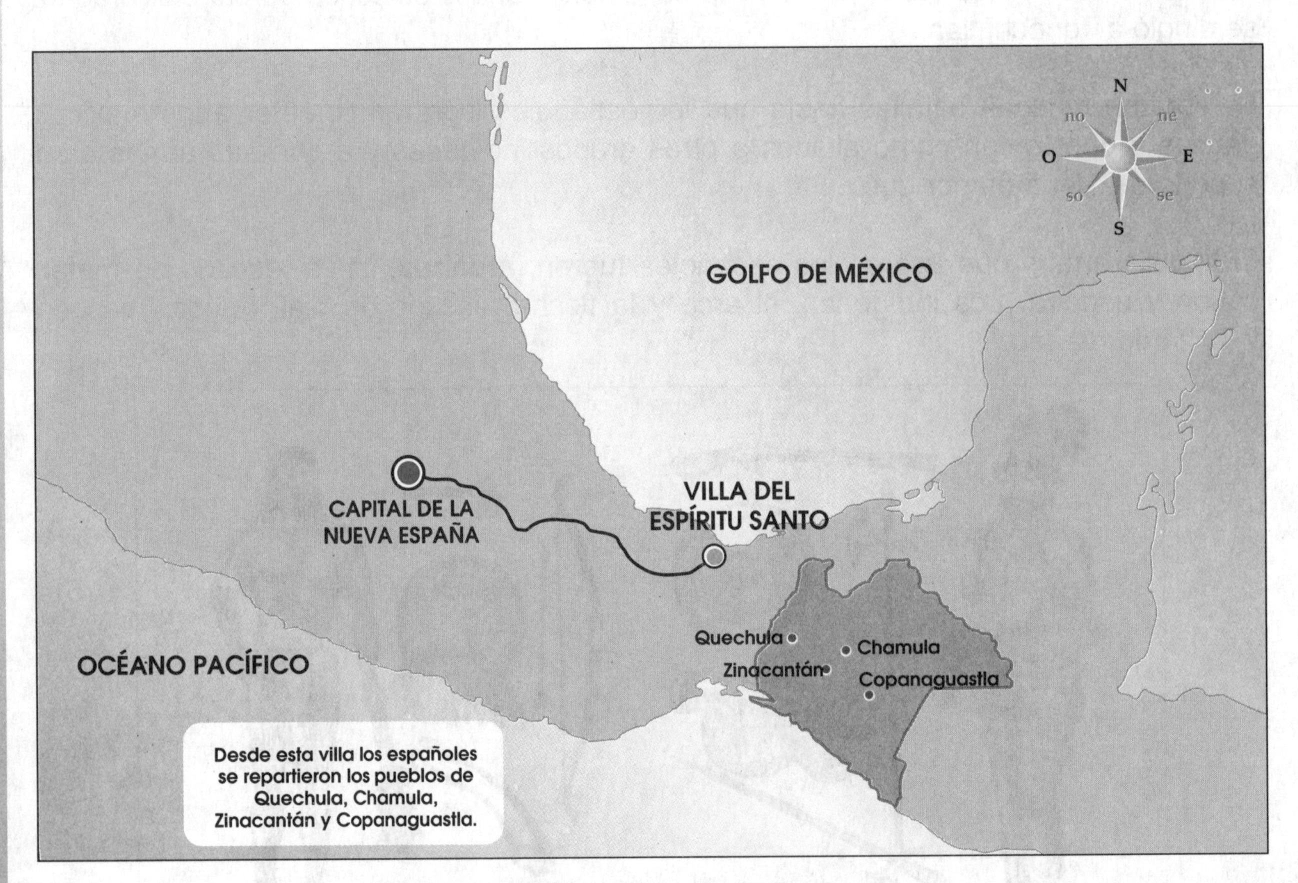

Ruta seguida por Gonzalo de Sandoval.

EXPEDICIÓN DE PEDRO DE ALVARADO

Pedro de Alvarado fue uno de los primeros conquistadores que entró a territorio chiapaneco, por órdenes de Hernán Cortés. Salió de la capital de la Nueva España en 1523, pasando por la costa de Chiapas para dirigirse a la conquista de Guatemala. A su paso dejó huella de la conquista, por los enfrentamientos que tuvo con los indígenas de Tonalá y del Soconusco, a quienes derrotó.

EXPEDICIÓN DE LUIS MARÍN

Después de la entrada de Alvarado, el capitán Luis Marín salió de la Villa del Espíritu Santo a la conquista de los indios chiapa o chiapanecas en 1524, con el propósito de someter por las armas a este pueblo que no obedecía la autoridad de los españoles, y fundar una villa en estas tierras como lo había ordenado Hernán Cortés, entonces capitán general de la Nueva España.

Después de pasar muchas penalidades en el camino por la abundante selva, Luis Marín llegó a la capital zoque llamada Quechula, de ahí se trasladó a Ixtapa donde tuvo el primer enfrentamiento con los chiapa. ¡Fue una dura pelea! Sin embargo, por la superioridad de sus armas, vencieron los españoles. Después en lo que era *Soctón Nandalumí o Chiapan*, la capital de los chiapa, se dio una gran batalla entre estas dos fuerzas. Nuevamente los chiapanecas fueron derrotados.

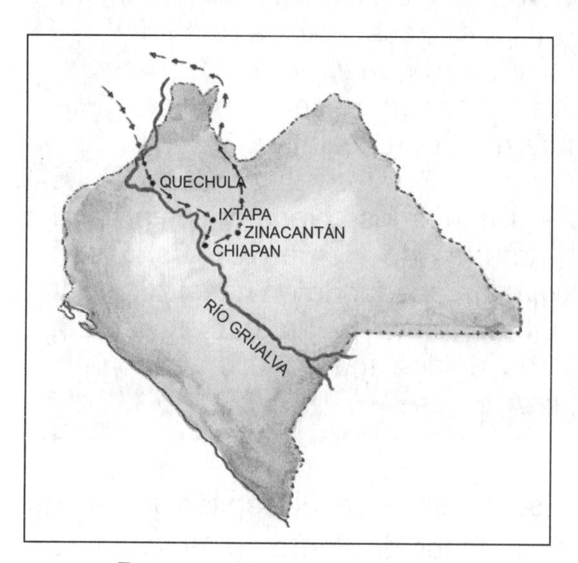

Ruta seguida por Luis Marín.

Batalla entre Luis Marín y los chiapanecas.

Sometidos los chiapa, los soldados de Luis Marín reclamaron las tierras otorgadas desde la Villa del Espíritu Santo. Esto ocasionó problemas a la expedición, por lo que el conquistador prefirió regresar sin fundar la villa solicitada por Hernán Cortés.

Te has de preguntar ¿qué pasó con los chiapa? Viéndose libres, desconocieron toda obediencia al gobierno español y se prepararon con armas para un posible regreso de los españoles.

EXPEDICIÓN DE DIEGO DE MAZARIEGOS

Dado el fracaso de Luis Marín, tres años más tarde, en 1527, partió otra **expedición** desde la capital de la Nueva España al mando del capitán Diego de Mazariegos, para someter a los indios chiapa.

Antes de llegar a Soctón Nandalumí, cerca del cerro del Tepetchía, los conquistadores entraron al señorío zoque y atravesaron *Usumalapa*, hoy San Fernando; *Tamasolapa*, hoy Don Ventura, y *Tochtlan*, hoy Tuxtla Gutiérrez.

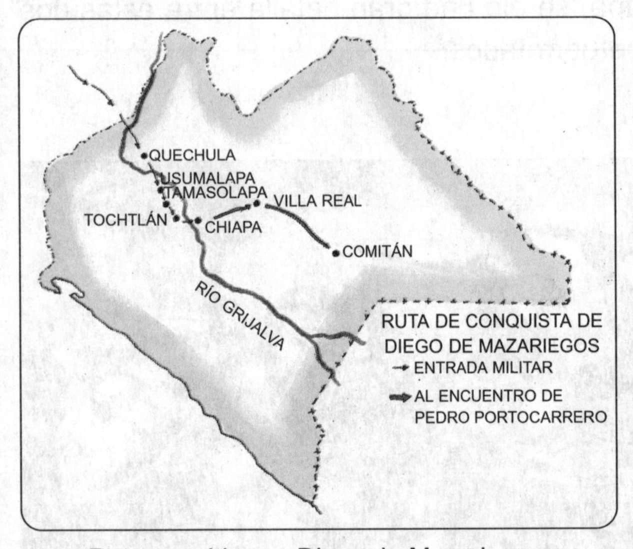

Ruta seguida por Diego de Mazariegos.

Finalmente cruzaron el Río Grijalva o de Chiapa, y ya en Soctón Nandalumí, tuvieron una feroz batalla con los indios chiapa. A pesar de la superioridad numérica y la valentía de los **nativos**, éstos volvieron a ser vencidos, pero ahora en forma definitiva.

Conquistados los chiapa, y cumpliendo las órdenes de Hernán Cortés, Diego de Mazariegos fundó en nuestro territorio, el primero de marzo de 1528, Chiapa de los Indios, hoy Chiapa de Corzo.

Fundada la primera villa, Diego de Mazariegos se enteró que el capitán Pedro de Portocarrero había entrado a Comitán obedeciendo órdenes de Pedro de Alvarado, con el propósito de que las nuevas tierras pasaran a poder del conquistador de Guatemala. Mazariegos se trasladó de inmediato a la región de Comitán, donde impidió el avance de Portocarrero y de sus soldados. De esta manera Portocarrero regresó solo a Guatemala y sus soldados se unieron a las fuerzas de Mazariegos.

De regreso a Chiapa, Mazariegos decidió fundar la Villa Real de Chiapa de los Españoles, en el valle de Jovel, hoy San Cristóbal de las Casas, a fines de marzo de 1528.

La conquista de Chiapas, iniciada por Luis Marín y concluida en forma definitiva por Diego de Mazariegos, se consumó con la derrota de los indios chiapa en 1528.

DOMINACIÓN ESPAÑOLA

Como ya estudiaste en páginas anteriores, Diego de Mazariegos fue el fundador de Chiapa de los Indios y Villa Real de Chiapa de los Españoles, por ello le fueron concedidos los títulos de capitán y teniente gobernador de estas tierras.

Después de él hubo otros gobernantes; algunos de ellos aplicaron leyes favorables para los indígenas, además de embellecer las ciudades; otros se dedicaron a la explotación de los indios, como el encomendero Baltazar Guerra de la Vega, que con abusos sometió a los indígenas a una cruel esclavitud.

Durante el dominio español, nuestra entidad estuvo bajo el control de estos gobiernos: Virreinato de la Nueva España, **Audiencia de los Confines** y Capitanía General de Guatemala.

A partir de 1790, las **alcaldías mayores** de Tuxtla, San Cristóbal y el Gobierno del Soconusco, se integraron para formar la **intendencia** de Chiapas con dependencia de la Capitanía General de Guatemala.

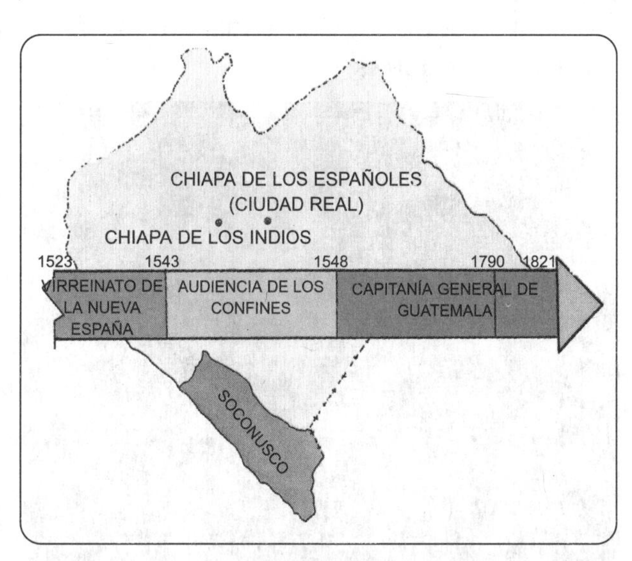

Dependencia de las provincias: las Chiapas y del Soconusco durante la dominación española de 1523 a 1821.

Mucho tiempo después de la conquista, los malos tratos y los castigos inhumanos por parte de los gobernantes y los encomenderos, dieron origen a las rebeliones indígenas contra la explotación española. Estas rebeliones fueron la de los indios chiapa, la de los zoques, y la más importante, la de los tzeltales en 1712.

Rebelión de los tzeltales contra los españoles.

Además, debes saber que durante la Colonia, la Ciudad Real fue centro misionero de los frailes franciscanos, jesuitas, agustinos, dominicos, mercedarios y de las monjas de la Encarnación. Estos grupos religiosos fundaron iglesias y conventos por todas las provincias de Chiapas. En la actualidad aún existen muchas de estas construcciones en Comitán, Teopisca, Copainalá, Tecpatán, Huehuetán, Chiapa de Corzo y Ocosingo, por mencionar algunas.

Iglesia de Santo Domingo en San Cristóbal de las Casas.

Convento de Tecpatán.

Muchos religiosos tuvieron un papel determinante para reforzar la dominación española en los territorios conquistados. Estos frailes lograron controlar a los pueblos indígenas, a través de la imposición de una nueva religión, obteniendo de esa manera poder político, económico y social.

Entre los religiosos dominicos, el que más destacó por su amor y compasión hacia los indígenas, fue fray Bartolomé de las Casas, defensor de los indígenas ante los abusos de los conquistadores.

Durante la dominación española se fundó una de las ciudades más importantes del estado de Chiapas: San Cristóbal de las Casas.

A lo largo de su historia ha tenido diferentes nombres: Villa Real de Chiapa de los Españoles, Villa Real, Villa Viciosa, Villa de San Cristóbal de los Llanos, Ciudad Real, y por último el nombre que actualmente tiene.

San Cristóbal de las Casas es de las pocas ciudades que todavía conserva su aspecto colonial. Aún podemos ver antiguos edificios, amplios jardines, sin faltar los bellos templos de los religiosos que estuvieron en Ciudad Real. Esto también lo podemos apreciar en Chiapa de Corzo, con su fuente y sus portales, muestras de las construcciones coloniales.

En la siguiente ilustración puedes observar uno de los antiguos edificios que se conservan en San Cristóbal de las Casas.

Casa donde vivió Diego de Mazariegos.

Convento de Santo Domingo en San Cristóbal de las Casas.

Durante el periodo de la dominación española en Chiapas, hubo varias rebeliones indígenas, para liberarse de la explotación y los malos tratos de los españoles. Muchos religiosos colaboraron para mantener el estado de dominación.

BIOGRAFÍA DE BARTOLOMÉ DE LAS CASAS

En el año de 1474, en Sevilla, España, nació Bartolomé de las Casas, quien al paso del tiempo sería el protector de los indios.

Pasaron los años y el joven Bartolomé recibió de su padre, Pedro Casaus, un niño indígena que le trajo de las nuevas tierras descubiertas por Cristóbal Colón en uno de los viajes en el que éste acompañó al almirante. Grande fue la sorpresa cuando Bartolomé dejó libre al pequeño indígena. ¡Esto probó que a Bartolomé le desagradaba la **sumisión** y la **esclavitud**!

A la edad de 28 años, Bartolomé viajó a América estableciéndose en la isla de Santo Domingo. Ahí se ordenó como sacerdote.

El gobernador de Cuba, Diego de Velázquez, lo nombró su consejero personal y le dio una encomienda, le entregó un grupo de indígenas y de tierras para cultivo. Fray Bartolomé renunció a su encomienda por no aceptar la explotación del indígena y se dedicó a trabajar en favor de los indios.

Cuando llegó a Chiapas el 12 de marzo de 1545, como obispo de Ciudad Real, se dio cuenta de que los indios de las Chiapas eran explotados y maltratados por los **encomenderos** españoles, quienes además los obligaban a trabajar duramente. La presencia del obispo provocó que los explotadores de Ciudad Real decidieran sacarlo violentamente, a fin de que sus **intereses** no se vieran afectados.

Fray Bartolomé de las Casas luchó para que los indios tuvieran una vida mejor y fueran tratados como personas y no como animales. Con este propósito, tuvo que viajar varias veces a España para pedir a los reyes que expidieran las leyes nuevas. Estas gestiones al fin dieron resultado. El rey Carlos V de España promulgó las Leyes de Indias.

Este defensor de los indígenas murió el 31 de julio de 1566 a los noventa y dos años. En su honor una ciudad chiapaneca lleva su apellido: San Cristóbal de las Casas.

16 EL PASADO DE MI ESTADO

CHIAPAS EN LA VIDA NACIONAL

LA INDEPENDENCIA DE CHIAPAS

¿Has participado o asistido alguna vez a las fiestas que se organizan el 15 y 16 de septiembre? Se les llama fiestas patrias o de Independencia. ¿Sabes por qué se les llama así?

La Nueva España dependió 300 años del reino español y a lo largo de ese periodo hubo varios intentos de liberación, pero fue hasta 1810 cuando se inició el movimiento de independencia nacional.

En esa lucha libertaria participaron dirigentes entre los que destacan: Miguel Hidalgo y Costilla, José María Morelos y Pavón y finalmente, Vicente Guerrero.

La guerra por la Independencia concluyó al firmarse el Plan de Iguala el 24 de febrero de 1821. En él, llegaron al acuerdo Agustín de Iturbide y Vicente Guerrero de poner fin a la lucha armada. Así nuestro país logró su libertad.

Hidalgo dirigiendo la lucha de Independencia.

En Chiapas, las noticias del movimiento de Independencia habían llegado casi desde su inicio; pero fue el arribo del **insurgente** Mariano Matamoros a Tonalá y su triunfo sobre los **realistas**, lo que vino a despertar el interés de quienes simpatizaban con el movimiento, siendo su principal figura Fray Matías de Córdoba y Ordóñez, párroco de la iglesia de San Sebastián en Comitán, quien convocó al pueblo a luchar por la liberación del dominio español.

El mensaje de fray Matías de Córdoba convenció a mucha gente, sin embargo, los ricos y terratenientes no quisieron firmar el **acta declaratoria**.

Por otra parte, la Capitanía General de Guatemala no estaba de acuerdo en que Chiapas se separara de su territorio. Ante las noticias de que el ejército guatemalteco amenazaba con acercarse a la frontera, los hombres titubearon por lo que Josefina García, una de las mujeres que estaba en esa reunión, dijo con firmeza: "... si usted, Padre Córdoba nos autoriza, podemos las mujeres hacer un trato con los caballeros, y es que ellos se queden aquí en la ciudad cuidando de las casas y de los niños y nosotras marcharemos a la frontera, en el caso de que Guatemala no secunde nuestro movimiento de insurrección".

Definida la situación de Chiapas, los representantes de la independencia enviaron al cura Pedro José de Solórzano a la capital del país para solicitar la integración de Chiapas a México, petición que fue aceptada por el gobierno mexicano. El propósito era formar parte de esa gran nación, debido a que los chiapanecos siempre se habían considerado mexicanos.

Así, Comitán fue la primera provincia de Chiapas en independizarse, el 28 de agosto de 1821, uniéndose a este movimiento otras provincias como Ciudad Real, San Marcos Tuxtla y Chiapa.

Monumento a fray Matías de Córdoba en Comitán.

En 1821, México y Chiapas dejaron de depender del gobierno español.
La independencia de Chiapas se inició en Comitán,
dirigida por fray Matías de Córdoba.

CRUCIGRAMA INDEPENDENCIA DE CHIAPAS

INSTRUCCIONES: en el crucigrama escribe el nombre o nombres que correspondan.

VERTICALES:

1. Así se llamó a la lucha que emprendieron ilustres chiapanecos en Comitán.
2. Las provincias de Chiapas ya no querían depender de las autoridades de esos lugares.
3. Primera provincia de Chiapas que inició su independencia.

HORIZONTALES:

1. Heroína chiapaneca que participó en la lucha de independencia.
2. Párroco de Comitán que promulgó la independencia de Chiapas.

FEDERACIÓN DE CHIAPAS A MÉXICO

Al triunfo del Plan de Iguala, Agustín de Iturbide fue nombrado emperador de la nueva nación, periodo durante el cual los chiapanecos decidieron formar parte de México.

Iturbide es desconocido y el Plan de Iguala también. Esto provocó en los chiapanecos una división de opiniones: unos se manifestaban por seguir unidos a México, otros a Guatemala y otros más deseaban ser independientes de las dos naciones.

Ante esa situación, en Comitán se proclamó el Plan de Chiapas Libre. Este documento consistió en dejar al pueblo la decisión de incorporarse o permanecer como nación libre; para ello, se instaló la Junta Suprema Provincial que convocó al pueblo a emitir su voto y conocer la voluntad de los chiapanecos. Todas las provincias de Chiapas participaron.

¿Te gustaría saber cuál fue el resultado de esa votación llamada también plebiscito? Observa el dibujo siguiente:

Por México
96 mil 829 votos

Por Guatemala
60 mil 400 votos

Indiferentes
15 mil 724 votos

Resultados del plebiscito dados en Ciudad Real (hoy San Cristóbal de las Casas) el 12 de septiembre de 1824.

Con base en la votación, dos días después, el 14 de septiembre de 1824, la Junta Suprema declaró la federación o unión de Chiapas a México por la voluntad y firme decisión de la mayoría de los chiapanecos.

Reunión de la Junta Suprema donde destacó la participación de Joaquín Miguel Gutiérrez Canales.

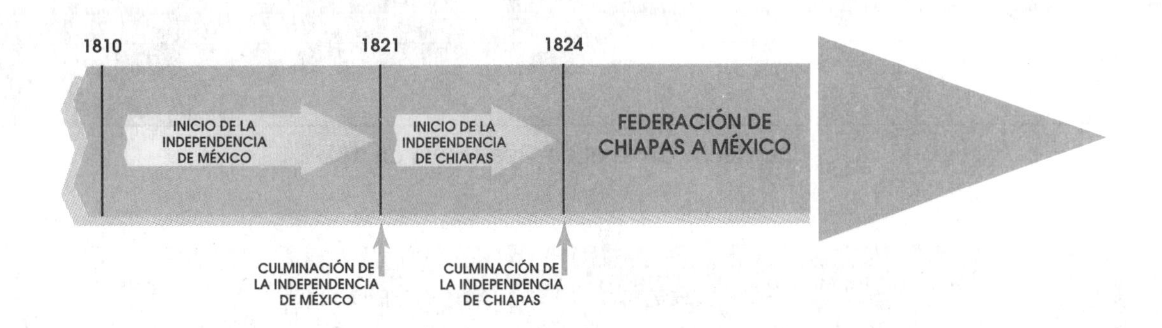

Calca el siguiente mapa que representa la Capitanía General de Guatemala, a la cual pertenecía Chiapas. En tu mapa ubica con un punto el lugar donde se encontraría tu municipio, luego:

- Traza una línea de color verde hasta el lugar en donde se proclamó el plan que permitió a los chiapanecos decidir su incorporación a México.
- Con una línea de color rojo, une a tu municipio con el lugar en donde se llevó a cabo la histórica votación en la que se decidió la incorporación a México.
- Colorea de naranja el país al que pertenecía Chiapas.

Capitanía General de Guatemala en 1824.

Por voluntad de los chiapanecos nuestra entidad se unió a la Federación mexicana el 14 de septiembre de 1824.

BIOGRAFÍA DE JOAQUÍN MIGUEL GUTIÉRREZ CANALES

San Marcos Tuxtla fue la cuna de este ilustre chiapaneco que nació el 21 de agosto de 1796.

Ahora conocerás lo más sobresaliente de su vida y obra, que son ejemplo de verdadero patriotismo.

Siendo un niño, como tú, sus padres Miguel Antonio Gutiérrez del Arroyo y Alonso y Rita Canales Espinosa, lo enviaron a la escuela primaria de su pueblo natal, continuando sus estudios de secundaria y bachiller en Ciudad Real.

Mientras realizaba sus estudios de bachiller, se interesó por las ideas libertarias que proclamaban Hidalgo y Morelos. Fue tanto su interés que hizo un viaje a Tonalá al saber que ahí se encontraba el general Mariano Matamoros, uno de los jefes de las tropas de Morelos, pues quería incorporarse a sus fuerzas, mas no logró su deseo, ya que Matamoros había regresado a Oaxaca.

Cuando el 28 de agosto de 1821 supo que Comitán había proclamado su independencia, habló con el alcalde, el regidor de Tuxtla y otros funcionarios, y los animó a apoyar a Comitán. Joaquín Miguel Gutiérrez formó parte de la Junta Suprema que el 14 de septiembre de 1824 declaró la Federación de Chiapas a México.

Su **convicción** por las ideas independientes fueron tan claras y firmes, que se negó a participar en el gobierno de Iturbide por considerarlo ilegal y contrario a las causas libertarias.

Joaquín Miguel Gutiérrez ocupó importantes cargos en el gobierno federal y estatal. Fue diputado a la primera **Legislatura**, y el 15 de septiembre de 1832 se hizo cargo de la gubernatura del estado. Durante su gobierno promovió el comercio y la educación, pero su obra se vio interrumpida, porque siendo presidente de la República Antonio López de Santa Anna, envió a Manuel Gil Pérez para hacerse cargo del gobierno y destituirlo.

Mural de Manuel Suasnavar Pastrana. Presidencia municipal de Tuxtla Gutiérrez.

El 8 de junio de 1838 fue atacado por las fuerzas de Ignacio Barberena. En su defensa perdió la vida y su cadáver fue arrastrado por las calles de Tuxtla. Para honrar su memoria, la capital de Chiapas lleva su apellido: Gutiérrez.

LA REFORMA EN CHIAPAS

LA CONSTITUCIÓN MEXICANA DE 1857

Una vez lograda nuestra Independencia, surgió un nuevo motivo de división entre los mexicanos; por un lado, los conservadores deseaban que el nuevo gobierno no hiciera cambios en la organización política y social que mantuvo España en el país. En cambio, los liberales luchaban por constituir una república federal y democrática, es decir, integrada por estados libres y **soberanos**.

En un principio los liberales lograron imponer sus ideas, y promulgaron la Constitución Política de nuestra nación en 1824, designándose al general Guadalupe Victoria como primer presidente de México.

En Chiapas, en ese entonces fue nombrado Manuel José de Rojas como primer gobernador de la entidad, quien promulgó la primera Constitución Política de Chiapas en 1825.

Siendo gobernador de Chiapas el general Joaquín Miguel Gutiérrez, llegó a la Presidencia de la República Antonio López de Santa Anna, quien en algunas ocasiones defendía las ideas liberales y en otras las conservadoras. Durante la gubernatura de Gutiérrez, en el país Santa Anna estableció la república centralista como forma de gobierno, apoyado por los conservadores.

Observa los mapas siguientes. Ambos representan a la República Mexicana. Puedes ver que hay diferencias en la extensión territorial. ¿Sabes por qué?

En 1848 la nación mexicana perdió más de la mitad de su territorio como resultado de la guerra con Estados Unidos de América. Ésta fue una pérdida importante para los mexicanos, motivada por la situación que vivía el país y por la política expansionista de los estadunidenses.

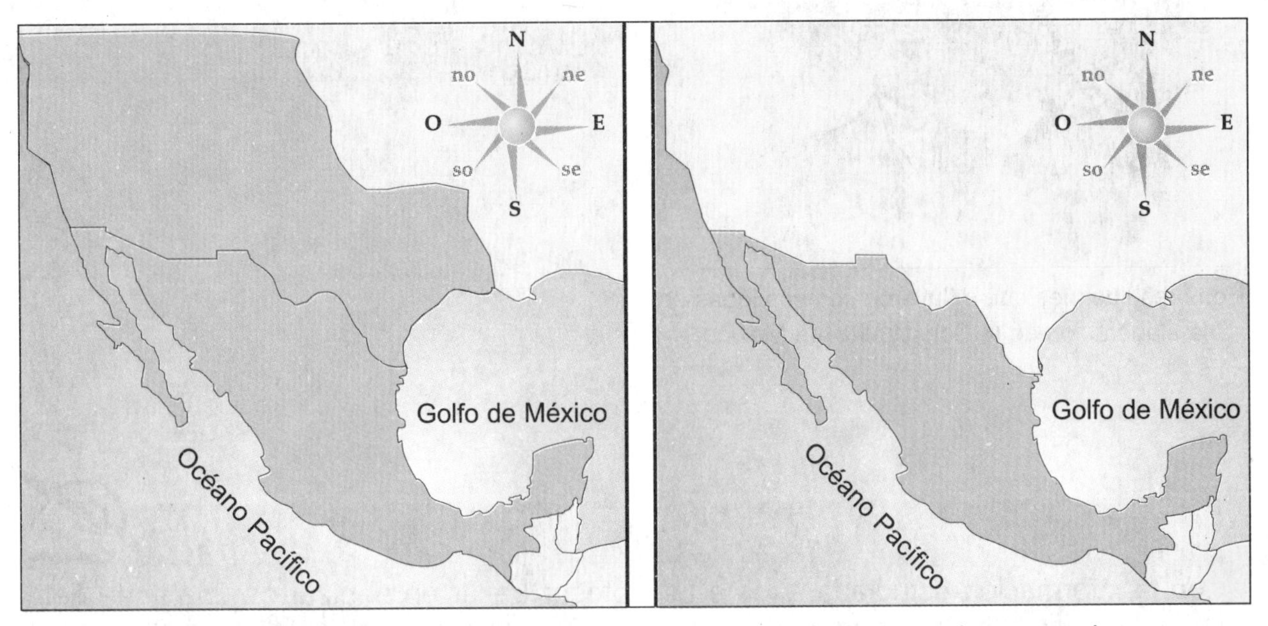

Territorio mexicano hasta 1848.

Territorio mexicano actual.

Las pugnas entre liberales y conservadores duraron varias décadas. Los liberales encabezados por Juan Álvarez lucharon contra el gobierno de Santa Anna y proclamaron el Plan de Ayutla el 1º de marzo de 1854, con el cual se pidió la destitución de Santa Anna y que se convocara a elecciones.

Con el triunfo del Plan de Ayutla, Santa Anna dejó el gobierno y los liberales convocaron a un **Congreso Constituyente**, que elaboró la Constitución Federal promulgada el 5 de febrero de 1857, que contiene el pensamiento liberal y transformador de hombres como Benito Juárez, Melchor Ocampo, Ignacio Ramírez, Sebastián Lerdo de Tejada y Guillermo Prieto, entre otros.

Hombres liberales que influyeron con sus ideas en la elaboración de la Constitución de México.

Los liberales chiapanecos, encabezados por Ángel Albino Corzo, y apoyados por el pueblo, contribuyeron decididamente al triunfo del Plan de Ayutla en Chiapas. El 10 de mayo de 1857 se dio a conocer, en San Cristóbal de las Casas, la nueva Constitución de Chiapas. El Congreso nombró gobernador del estado a Ángel Albino Corzo.

Con la información estudiada, pide a tu profesor trazar en el pizarrón una línea del tiempo en donde, por equipo, describan los hechos más importantes sucedidos durante los años de 1824, 1825, 1848 y 1857.

Ilustren con dibujos o recortes la información del hecho histórico que a tu equipo le haya correspondido.

La Constitución federal de los Estados Unidos Mexicanos, promulgada el 5 de febrero de 1857, estableció leyes liberales y reformadoras para beneficio del país. Estas leyes fueron promovidas y defendidas en Chiapas por Ángel Albino Corzo.

LEYES DE REFORMA EN CHIAPAS

Ahora veremos qué sucedió en 1857. Un grupo de hombres de pensamiento liberal elaboró la segunda Constitución Política, pero al aplicarla fue rechazada por los conservadores. Esto provocó el movimiento armado llamado Guerra de Tres Años o Guerra de Reforma, que se inició en 1858.

Durante este conflicto, los conservadores reconocieron a Félix Zuloaga como presidente mediante el Plan de Tacubaya y los liberales a Benito Juárez, quien desde Veracruz, **promulgó** las Leyes de Reforma en julio de 1859.

Las Leyes de Reforma establecieron: la libertad de religión, la separación de asuntos de la Iglesia de los del Estado. También quitaron a la Iglesia sus bienes y muchas funciones que venían realizando desde la época colonial, tales como el matrimonio, el registro civil y el control de cementerios, entre otros.

En ese tiempo, ¿qué pasó en nuestro estado? Los grupos conservadores de Chiapas apoyaron el Plan de Tacubaya, opuesto a las ideas liberales, y lo manifestaron a través de movimientos armados. En San Cristóbal existió un grupo importante de ellos, por lo que el gobernador Ángel Albino Corzo ordenó enviar tropas a combatir las fuerzas rebeldes al presidente Juárez, en el Istmo de Tehuantepec y a la capital del estado de Tabasco.

Constitución y Reforma.

En tanto, Comitán sufrió ataques armados de los hombres del conservador Juan Ortega, y en Tapachula las fuerzas del gobierno combatieron a los hombres de José María Chacón, quien trató de apoderarse de la ciudad.

En 1859, Ángel Albino Corzo puso en práctica en Chiapas las Leyes de Reforma. Esto originó protestas de los religiosos, tal como sucedió en toda la nación.

Después de tres años de guerra, las fuerzas liberales triunfaron. Benito Juárez regresó a la capital del país declarando a Ángel Albino Corzo, **Benemérito** del Sureste por sus servicios a la patria.

Elabora una línea de tiempo con los datos que aparecen a continuación. Una vez que la hayas concluido, coméntala con tus compañeros.

- Juárez promulga las Leyes de Reforma.
- Inicio de la "Guerra de Tres Años".
- Se elabora la segunda Constitución Política de México.
- Se aplican las Leyes de Reforma en Chiapas.

Las Leyes de Reforma fueron promulgadas en 1859 por el presidente Benito Juárez, y en Chiapas fueron aplicadas por el gobernador Ángel Albino Corzo. Estas leyes separaron a la Iglesia del Estado, entre otras cosas.

EL BATALLÓN CHIAPAS EN PUEBLA

Has de saber que nuestro país le debía dinero a España, Inglaterra y Francia. Como México no podía pagar, le pidió a estos países que esperaran un poco más para cubrir la deuda. Inglaterra y España estuvieron de acuerdo, pero Francia decidió invadir nuestro territorio. Los conservadores mexicanos celebraron con júbilo la entrada de las fuerzas enemigas al país. En cambio, el gobierno de Benito Juárez, se organizó para detener a las tropas francesas.

Invasión francesa en las costas de Veracruz.

Mientras esto sucedía, en Chiapas los conservadores Juan Ortega, José María Chacón y el cura Víctor Antonio Chanona se levantaron en armas atacando importantes poblaciones del estado, desconociendo la Constitución de 1857, las Leyes de Reforma y al gobierno de Benito Juárez. Ellos querían establecer un gobierno conservador en Chiapas.

¿Qué pasó entonces?

Juárez solicitó ayuda económica y militar a los gobiernos liberales de los estados de la República, para combatir a los traidores de la patria y a los intervencionistas extranjeros. Es así que San Cristóbal de las Casas, Comitán, Tapachula y otras poblaciones enviaron sus tropas para integrar el "Batallón Chiapas" comandado por José Pantaleón Domínguez, que salió de Chiapa (hoy de Corzo) rumbo a Puebla el 30 de mayo de 1862.

"Batallón Chiapas" rumbo a Puebla.

La distancia y las difíciles condiciones en el traslado no impidieron que los chiapanecos integrantes del "Batallón Chiapas" participaran heroicamente en la defensa de la ciudad de Puebla.

"Batallón Chiapas" contra los franceses.

- Con ayuda de tu maestro y de tus compañeros de clase, elabora y representa a través de una escenificación los hechos históricos que estudiaste en esta lección.

El "Batallón Chiapas" en respuesta al llamado de Benito Juárez, acudió a la defensa de la patria.

BIOGRAFÍA DE ÁNGEL ALBINO CORZO

Panorámica de Chiapa de Corzo.

Ángel Albino Corzo, quien gobernó a nuestro estado e impulsó las leyes liberales, nació en Chiapa en marzo de 1816. Desde que era un niño como tú, demostró ser un excelente estudiante. Su capacidad e inteligencia lo distinguieron entre los grandes hombres de su tiempo.

Su intensa actividad política lo llevó a tener una participación social decisiva en la que:

Proclamó en Chiapas el Plan de Ayutla.
Fue elegido presidente municipal de su pueblo en 1846.
Gestionó y creó el Departamento Político de Chiapas.
Participó en el Congreso Local como diputado.
Derrotó en Chiapas a las fuerzas del dictador Antonio López de Santa Anna.

Derrota de las fuerzas de Santa Anna.

El 20 de octubre de 1855, Ángel Albino Corzo tomó posesión de la gubernatura de Chiapas. Sus propósitos fueron evitar la **anarquía**, consolidar la paz, mantener **inviolables** las garantías sociales y defender las ideas liberales en la entidad.

De su obra política como gobernador resaltan:

La fundación de la Escuela Normal de San Cristóbal.
La defensa de la integridad territorial del estado ante las **pretensiones expansionistas** de Tabasco.
El no permitir la separación del Soconusco.
El apoyo decidido a la Constitución de 1857.
La defensa firme de las Leyes de Reforma.
El cierre de conventos.
El impulso a la educación.

El 12 de agosto de 1875, Ángel Albino Corzo dejó de existir a la edad de 59 años. Su vida y obra son muestra de la grandeza de este hombre que honró a Chiapas. Por la riqueza de su obra política y social fue declarado benemérito del estado, y su apellido fue dado a su ciudad natal.

Monumento de Ángel Albino Corzo en Chiapa de Corzo.

LA BATALLA DEL 21 DE OCTUBRE DE 1863 (LECTURA DEL PARTE MILITAR)

El 5 de mayo de 1862 las tropas mexicanas derrotaron en Puebla al poderoso ejército francés; sin embargo, dadas las condiciones de superioridad militar y de organización, los franceses lograron avanzar y se apoderaron de Puebla y de la Ciudad de México. Tiempo después, los franceses apoyaron a Fernando Maximiliano de Habsburgo, quien con ayuda de los conservadores fue nombrado emperador de México.

¿Qué pasaba mientras tanto en nuestra entidad?

Las fuerzas imperialistas representadas por el clero, los militares, los terratenientes y hacendados, oponiéndose a los principios del movimiento de Reforma y encabezados por Juan Ortega, se apoderaron de San Cristóbal de las Casas después de derrotar al general Nicolás Ruiz, jefe político de aquella ciudad.

Los conservadores instalaron un gobierno imperialista, y declararon a San Cristóbal capital del Imperio en el Departamento de Chiapas.

Salvador Urbina.

Cuando la mayor parte del estado estuvo en manos de los imperialistas, éstos decidieron atacar las poblaciones de Chiapa y Tuxtla. Ante esta situación, los liberales nombraron como dirigente de la lucha al coronel Salvador Urbina, quien preparó la defensa de la ciudad de Chiapa, haciendo de las antiguas iglesias, situadas estratégicamente, verdaderas **fortalezas** a las cuales llamó Fuerte Libertad, Fuerte Independencia y Fuerte Zaragoza.

El ataque enemigo se inició la tarde del 20 de octubre en el Fuerte Libertad. La firme convicción liberal de los defensores los hizo triunfar. Por su patriotismo destacaron Salvador Urbina, Cenobio Aguilar, Julián Grajales, Isidro Castellanos y otros valientes que participaron en la batalla.

Mural de Carlos Mérida de la batalla del 21 de octubre de 1863. Palacio municipal de Chiapa de Corzo.

En la siguiente lección conocerás los momentos más sobresalientes de la batalla del 21 de octubre, contenidos en el **parte militar** escrito por Salvador Urbina y enviado al gobernador del estado.

- Después de leer el resumen del parte militar, con la ayuda de tu maestro elabora con tus compañeros un periódico mural, un cartel, un folleto informativo o un noticiero histórico sobre la batalla del 21 de octubre de 1863.

RESUMEN DEL PARTE MILITAR DEL CORONEL SALVADOR URBINA SOBRE LA BATALLA DEL 21 DE OCTUBRE DE 1863.

El 19 de octubre de 1863, las fuerzas enemigas se acercaban a Chiapa de Corzo, defendida por las tropas al mando de Salvador Urbina.

Como a las 5 de la tarde, el enemigo se aproximó a las iglesias que habían sido preparadas como fortalezas, para la defensa de la ciudad.

Al oscurecer, el Fuerte Zaragoza y el de La Libertad fueron atacados, y al amanecer del día 21 de octubre, el ejército traidor se lanzó en contra del Fuerte Independencia.

El combate fue reñido y el enemigo penetró hasta el barrio de San Miguel, pero fueron violentamente rechazados, obligándolos a huir abandonando sus armas.

Las fuerzas traidoras fueron completa y vergonzosamente derrotadas por Salvador Urbina, asegurando así el porvenir de estos pueblos.

Salvador Urbina, al final del parte militar dijo: "No debo recomendar a ninguno de mis subordinados, porque desde el primer jefe hasta el último soldado han cumplido con su deber".

GUERRA DE CASTAS

Siendo presidente de la República Benito Juárez y gobernador de nuestro estado el general José Pantaleón Domínguez, sucedió en Chiapas la rebelión indígena conocida como guerra de **castas**.

Este hecho tuvo su origen en algunas poblaciones de los Altos de Chiapas, cerca de San Cristóbal de las Casas. Consistió en la rebelión de los indígenas tzotziles en contra de los **ladinos** -como eran llamados los españoles, blancos y mestizos- por la explotación, la injusticia y malos tratos que recibían de los hacendados, caciques y comerciantes.

Fabricando ídolos.

Ésta era la situación cuando a fines de 1867, Pedro Díaz Cuscat, fiscal del pueblo de Chamula, fabricó ídolos de barro haciendo creer a los indígenas que éstos eran dioses bajados del cielo, que venían a liberarlos de la explotación y malos tratos que les daban los ladinos.

La noticia se difundió por las comunidades de los Altos y el norte del estado, y pronto el fervor religioso llevó a los indígenas a formar **centros ceremoniales** que mantuvieron en reunión permanente a una cantidad importante de ellos.

El cura Miguel Martínez dialoga con los indígenas.

A la iglesia de la población de Chamula y a las de San Cristóbal de las Casas, cada día llegaban menos indígenas. Ante ello, el cura del pueblo de Chamula, Miguel Martínez, trató de convencerlos que esos ídolos eran falsos, pero no lo logró.

Las reuniones de los indígenas en torno de los ídolos, que para ellos significaban los dioses de una nueva religión, continuaron con mayor fuerza, bajo la dirección de Pedro Díaz Cuscat, Agustina Gómez Checheb y Manuela Pérez Jolcogtom, por lo que el jefe político de San Cristóbal de las Casas los mandó apresar acusándolos de rebelión.

Líderes chamulas tomados presos.

Ignacio Fernández Galindo, originario de la Ciudad de México, en compañía de su esposa y su ayudante Benigno Trejo, salieron de San Cristóbal de las Casas y se presentaron ante los indígenas, ofreciéndoles ayuda para liberar a los detenidos y librarlos también de la opresión en que los ladinos los tenían. Así, Fernández Galindo se convirtió en líder de los indígenas, se vistió como ellos, los organizó y les dio instrucción militar.

Instrucción militar a indígenas.

Mientras tanto, el cura de Chamula Miguel Martínez, en un intento más por terminar con las creencias de los indígenas, llegó al adoratorio y se llevó los ídolos. Al enterarse Fernández Galindo lo siguió con gente del pueblo, y al alcanzarlo, ordenó su muerte. Se inició así el ataque de los indígenas a las haciendas y fincas de la región, dando muerte a sus dueños, a sus familias y a su servidumbre no indígena.

Estos hechos fueron conocidos en San Cristóbal de las Casas provocando el temor entre sus habitantes. Y más aún, cuando Ignacio Fernández Galindo, al frente de un ejército de tzotziles, manifestó su propósito de atacar la ciudad, si no eran liberados Pedro Díaz Cuscat y los otros detenidos.

Temor ante posible ataque.

El 17 de junio de 1869, Fernández Galindo llegó con su ejército hasta el callejón de Las Labores. Allí dialogó con el jefe político José María Ayanegui y con el comandante del gobierno Cresencio Rosas, lográndose la firma del Tratado de Esquipulas, que permitió la libertad de todos los dirigentes indígenas a cambio de que Fernández Galindo y sus acompañantes quedaran presos, informándoles a los indígenas que estarían libres en tres días.

Ante los graves acontecimientos, el propio gobernador del estado, al mando de una fuerza militar, se trasladó a San Cristóbal y, enterado de los hechos, no autorizó la libertad de Fernández Galindo y sus acompañantes.

El gobernador Pantaleón Domínguez al frente del ejército.

Pedro Díaz Cuscat, al frente de un ejército de indígenas tzotziles, atacó a San Cristóbal de las Casas por varios **flancos**. La batalla más dura se dio en el callejón de las Labores, donde las fuerzas del gobierno fueron derrotadas. Sin embargo, los tzotziles no aprovecharon su victoria y al anochecer se retiraron al pueblo de Chamula sin haber rescatado a sus dirigentes. Ignacio Fernández Galindo y Benigno Trejo fueron sentenciados. Su fusilamiento se efectuó el 26 de junio de 1869. Luisa Quevedo, esposa de Fernández Galindo, fue condenada al destierro.

La rebelión indígena continuó. Hubo otros encuentros y batallas entre fuerzas del gobierno y los indígenas. Otros cabecillas rebeldes como Ignacio Coyazo Panchín, fueron aprehendidos y fusilados. Pedro Díaz Cuscat se refugió en las montañas y no pudo ser detenido. La rebelión perdió fuerza y el ejército del gobierno, con el apoyo de algunos caciques indígenas, impuso la paz. La guerra de castas concluyó en octubre de 1870.

- De las ilustraciones y pasajes históricos de esta lección, dibuja en tu cuaderno lo que más te guste; píntalo y escribe un texto breve acerca de ello. Con tu dibujo y los de tus compañeros formen el mural de la guerra de castas.

EL PORFIRIATO EN CHIAPAS

SITUACIÓN DEL ESTADO DURANTE LA DICTADURA

Porfirio Díaz desde joven se destacó como un militar. Al frente de sus fuerzas, ocupó un lugar importante en la defensa del país en contra de la invasión francesa. Además, participó en muchas batallas que le dieron prestigio y el reconocimiento del pueblo mexicano.

Porfirio Díaz fue electo presidente de la República en 1877, cargo que ocupó por más de treinta años. Al paso del tiempo, Díaz se convirtió en un gobernante duro y autoritario, es decir, estableció una dictadura apoyada en el ejército y en la policía para permanecer en el poder. Esta situación impidió manifestaciones de descontento, viviéndose así una paz aparente.

El gobierno de Díaz permitió la entrada de extranjeros a nuestro país, haciéndose dueños de zonas petroleras y mineras, haciendas, maderas preciosas, caucho o hule, fábricas, bancos, comercios, telégrafos y teléfonos. Las compañías extranjeras construyeron vías de ferrocarril para sacar las riquezas nacionales, así como para introducir maquinaria y herramientas.

Época porfirista.

Esto originó el desarrollo de algunas regiones del país, sin embargo, las grandes masas de campesinos despojados de sus tierras y de obreros con salarios bajos y trato injusto, expresaron su descontento mediante protestas que fueron reprimidas por la fuerza.

Observa el mapa de la República Mexicana. Los colores te señalan las regiones donde los extranjeros explotaron los recursos naturales durante el Porfiriato.

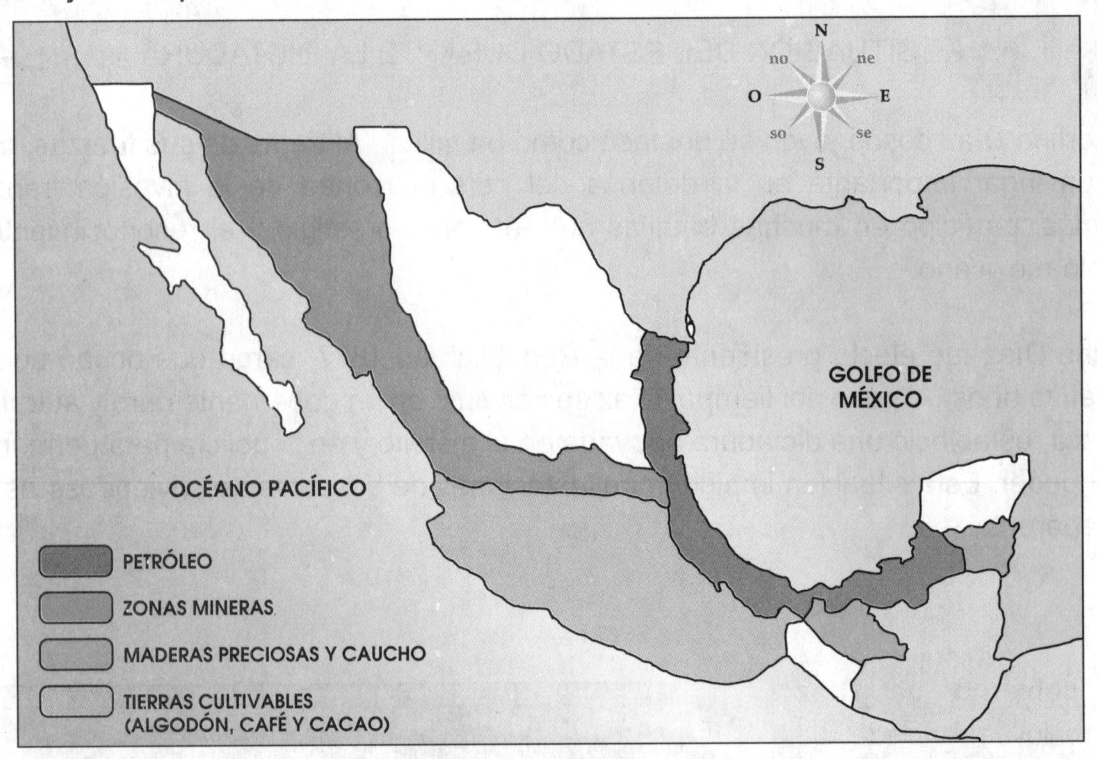

Regiones con recursos naturales que los extranjeros aprovecharon durante el Porfiriato.

¿Cuál era la situación de Chiapas en esa época?

En este **régimen** de explotación por parte de los dueños de haciendas y fincas, los indígenas tzotziles, tzeltales y tojolabales eran *enganchados*, es decir, contratados a cambio de un anticipo en dinero. Los empleaban como mozos en trabajos forzados en las fincas cafetaleras del Soconusco, así como en la selva (Ocosingo, Palenque y Yajalón) en donde se explotaban maderas preciosas y caucho.

Situación de los trabajadores chiapanecos durante el Porfiriato.

En esa época la entidad estaba poco comunicada.

Durante el Porfiriato, los gobiernos de Chiapas que se destacaron por sus obras fueron: el de Emilio Rabasa Estebanell durante 1891, en él se fomentó la educación, la construcción de caminos vecinales, se instaló la primera línea telefónica entre Tuxtla Gutiérrez y Chiapa de Corzo, y cambió la residencia de los poderes del estado, de San Cristóbal de las Casas a Tuxtla Gutiérrez.

El periodo gubernamental del coronel oaxaqueño Francisco León fue de cuatro años a partir de 1895; se destacó por promover la construcción de las carreteras Tuxtla-Arriaga y Tuxtla-Comitán, así como la construcción del palacio de gobierno del estado.

Ramón Rabasa encabezó el último gobierno porfirista que tuvo Chiapas, en el que se llevó a cabo la electrificación de Tuxtla y San Cristóbal, la instalación telefónica de Tapachula-Puerto Madero y la construcción del puente colgante sobre el río Grijalva, uniendo las ciudades de Tuxtla Gutiérrez y Chiapa de Corzo.

Algunas obras realizadas en Chiapas durante el Porfiriato.

- ¿Qué opinas sobre la vida de los trabajadores de Chiapas durante el Porfiriato?
- Con ayuda de tu maestro elabora con tus compañeros un periódico mural que muestre algunos sucesos de la dictadura porfirista en México y en Chiapas.

Durante el Porfiriato, las condiciones de vida de los indígenas y campesinos empeoraron. Los recursos naturales fueron explotados en exceso y la entidad permaneció incomunicada y aislada del resto del país.

MADERO CONTRA LA DICTADURA

Como estudiaste en páginas anteriores, el pueblo mexicano vivió durante más de 30 años la dictadura porfirista. Este gobierno logró la pacificación del país mediante la fuerza y aumentó la producción con dinero de otras naciones. Sin embargo, estos hechos propiciaron que México dependiera económica y tecnológicamente de otros países y que la vida de obreros, campesinos e indígenas fuera aún más difícil.

Un grupo de mexicanos que deseaban una forma de vida con mayores libertades, se lanzó a la lucha para lograr cambios democráticos. Esta lucha la encabezó Francisco I. Madero, enfrentándose a la dictadura en las elecciones para presidente en 1910.

Porfirio Díaz.

Francisco I. Madero.

Porfirio Díaz no respetó el resultado de las elecciones y volvió a reelegirse como presidente de México. Ante estos hechos, Francisco I. Madero proclamó el Plan de San Luis, con el que se pidió el respeto al voto, la **no reelección** y llamó al pueblo a tomar las armas el 20 de noviembre de 1910 para derrocar a ese gobierno.

En nuestra entidad se dio poco apoyo al movimiento maderista; sin embargo, es justo recordar a algunos chiapanecos entusiastas que apoyaron el movimiento revolucionario de Madero. Entre ellos se mencionan los coroneles Miguel Albores Castellanos y Horacio Culebro, además de Flavio Guillén Ancheyta, gobernador del estado, quienes se declararon fieles a los principios democráticos.

Formación de grupos antirreeleccionistas.

Mientras tanto, los políticos sancristobalenses tomaron como pretexto el plan revolucionario de Madero para intentar trasladar la capital de Chiapas a su antigua sede -San Cristóbal de las Casas-, que en 1892 el gobernador Emilio Rabasa Estebanell había cambiado a Tuxtla Gutiérrez.

En 1911 Chiapas vivió momentos difíciles de su historia. Solamente en ese año, fueron nombrados ocho gobernadores después de la renuncia de Ramón Rabasa. Estos cambios de gobernantes chiapanecos se debieron a que algunos ciudadanos de San Cristóbal no estaban de acuerdo en que la capital del estado permaneciera en Tuxtla Gutiérrez, reclamando su regreso a San Cristóbal. Esto originó un **conflicto** entre los habitantes de ambas poblaciones.

El gobernador Reynaldo Gordillo León trató de evitar enfrentamientos entre los habitantes de las dos ciudades, pero ya era demasiado tarde; las fuerzas rebeldes dirigidas por Juan Espinosa Torres se habían organizado y con engaños habían logrado el apoyo de los indígenas a través del líder tzotzil Jacinto Pérez, apodado "El Pajarito", que había sido sargento del ejército federal.

Jacinto Pérez, "El Pajarito".

Las fuerzas rebeldes atacaron algunas poblaciones del Centro y Altos de Chiapas. El gobernador, al ver amenazada la ciudad capital, organizó su defensa con el batallón de voluntarios llamado "Hijos de Tuxtla".

Los sancristobalenses descontentos quemaron algunas comunidades. Mientras tanto, el batallón "Hijos de Tuxtla" avanzó sobre las posiciones contrarias, recuperando los pueblos dominados.

Batallón "Hijos de Tuxtla".

El gobierno de Manuel Rovelo Argüello pidió ayuda a las autoridades federales. En respuesta, Francisco León de la Barra, presidente de la República, envió al general Eduardo Paz para intentar poner fin al conflicto. El 13 de octubre de 1911 se firmaron los tratados de paz en la finca "La Comunidad", municipio de Chiapa de Corzo.

Haz equipo con tres o cuatro compañeros. Elaboren un sencillo guión para teatro guiñol o para una escenificación a partir de las luchas que les parezcan más interesantes. Pídanle ayuda al maestro.

Francisco I. Madero se opuso a la dictadura porfirista, proclamando el Plan de San Luis, en donde se pidió respeto al voto y a la no reelección. En Chiapas el movimiento maderista tuvo poco apoyo. En ese tiempo, hubo enfrentamientos entre sancristobalenses y tuxtlecos por la residencia de la capital del estado.

BIOGRAFÍA DE EMILIO RABASA

Voy a relatarte la vida y obra de Emilio Rabasa Estebanell que nació en Ocozocoautla el 22 de mayo de 1856. Fue electo gobernador del estado y realizó importantes obras, además de que fue un sobresaliente escritor y abogado.

Escuela Libre de Derecho en San Cristóbal de las Casas.

Se tituló de abogado en la Escuela Libre de Derecho en 1878. Ocupó diversos cargos relacionados con su profesión.

Emilio Rabasa fue un destacado escritor.

Se distinguió como escritor. Sus obras más importantes son: *La bola*, *El cuarto poder*, *Moneda falsa*, *La Guerra de Tres Años* y *La ciencia.*

Antiguo palacio de gobierno en Tuxtla Gutiérrez.

Fue electo gobernador del estado en el año 1891. Entre las obras más importantes que se realizaron durante su gobierno, se mencionan las siguientes:

El decreto del cambio de poderes de San Cristóbal de las Casas a Tuxtla Gutiérrez.
La creación de la Escuela de Artes y Oficios, que más tarde se transformaría en la Escuela Normal Militar.
La emisión de leyes hacendarias, que establecía el gobierno para cobrar impuestos a la población.
El inicio de una importante red de caminos vecinales.
La instalación de la primera línea telefónica entre Tuxtla Gutiérrez y Chiapa de Corzo.

Teatro de la Ciudad "Emilio Rabasa" en Tuxtla Gutiérrez.

Falleció el 25 de abril de 1930. Chiapas honra su memoria dándole su nombre al Teatro de la ciudad capital.

LA REVOLUCIÓN EN CHIAPAS

TRAICIÓN DE VICTORIANO HUERTA

En 1913 el presidente Francisco I. Madero y el vicepresidente José María Pino Suárez, fueron traicionados y asesinados por un militar llamado Victoriano Huerta, quien contó con el apoyo del gobierno de Estados Unidos de América y de muchos hacendados mexicanos. Todo esto lo hizo por la ambición de ocupar la presidencia de la República.

Aprehensión de Francisco I. Madero y José María Pino Suárez.

¿Cuál fue la reacción de los revolucionarios? Venustiano Carranza, Emiliano Zapata y Francisco Villa, líderes del movimiento revolucionario, acordaron unirse para combatir a Victoriano Huerta, porque tenerlo como presidente significaba volver a la dictadura contra la que se había luchado.

Principales líderes del movimiento revolucionario

Venustiano Carranza.

Emiliano Zapata.

Francisco Villa.

Venustiano Carranza, gobernador de Coahuila, desconoció a Huerta como presidente mediante el Plan de Guadalupe y encabezó el gobierno como presidente provisional en espera de las nuevas elecciones, al frente del Ejército Constitucionalista, llamado así porque defendían los principios de la Constitución.

Las buenas relaciones del gobierno huertista con los inversionistas ingleses, provocaron problemas con Estados Unidos de América, que decidió atacar el puerto de Veracruz. La población civil al ver que los soldados y funcionarios de Huerta huyeron, se enfrentó al invasor.

Tropas estadunidenses en Veracruz.

Venustiano Carranza no aceptó el apoyo militar que le ofrecieron los extranjeros, y continuó combatiendo al ejército huertista, al que derrotó. En agosto de 1914, Victoriano Huerta huyó a Europa y las tropas estadunidenses se retiraron del país.

Mientras esto sucedía, en nuestro estado el general Bernardo A. Z. Palafox Nosti, que había sido nombrado gobernador interino por Victoriano Huerta, se alió con los hacendados partidarios del porfirismo, de Emilio Rabasa y del huertismo, para combatir a los revolucionarios.

Las clases humildes, los campesinos y los obreros permanecieron indiferentes en su mayoría al desconocer lo que ocurría en el país. Algunos carrancistas o constitucionalistas chiapanecos se levantaron en armas en contra del gobierno de Palafox, unos encabezados por Manuel M. Zepeda y otros por Luis Espinosa López. Con la caída del traidor Huerta, Palafox renunció en agosto de 1914.

Alianza pro-huertista en Chiapas.

Después de la lectura y de los comentarios hechos con tus compañeros y el maestro, responde a las siguientes preguntas:

¿Quién traicionó a Francisco I. Madero y a José María Pino Suárez?

___

___

¿Quiénes se unieron para combatir a Huerta?

___

¿Contra qué se seguía luchando en la Revolución?

___

¿Qué gobernador interino impuso Huerta en Chiapas?

___

Victoriano Huerta traicionó a Francisco I. Madero y a José María Pino Suárez, pero fue combatido por Villa, Carranza y Zapata. Dejó el poder y huyó a Europa. Palafox fue impuesto por Huerta como gobernador de Chiapas por un año, se alió con los hacendados y fue combatido por los constitucionalistas chiapanecos.

PROTESTA EN EL CONGRESO

Ante los asesinatos del presidente de la República Francisco I. Madero y del vicepresidente José María Pino Suárez, ordenados por Victoriano Huerta, hubo protestas en todo el país.

En el Congreso de la Unión, lugar donde se reúnen los diputados y senadores, se manifestó una marcada inconformidad por esos crímenes, resaltando la denuncia hecha por Belisario Domínguez, quien acusó a Huerta de **usurpador** y asesino, proponiendo su suspensión como presidente.

Por esta acción, Belisario Domínguez fue aprehendido y asesinado. Nuevamente se protestó contra los crímenes, pero como respuesta Victoriano Huerta disolvió el Congreso.

Belisario Domínguez en la Cámara de Senadores.

Estudiada esta parte de nuestra historia, dialoga con tus compañeros y con tu maestro y, de manera breve, escribe lo que sucedió en el Congreso después del discurso de Belisario Domínguez.

¿Qué opinas del valor de Belisario Domínguez?

LA REVOLUCIÓN CONSTITUCIONALISTA

En estas líneas conocerás lo que en nuestra historia nacional se le ha llamado revolución constitucionalista.

Recordarás que con la traición de Huerta, se levantaron en armas Carranza, Villa y Zapata. A la defensa del orden constitucional se le llamó revolución constitucionalista, y era encabezada por Venustiano Carranza. Las fuerzas revolucionarias triunfantes se reunieron en Aguascalientes en 1914, en una junta llamada Convención. Villa y Zapata querían que se repartieran las tierras, y Carranza que se hicieran las leyes. Hubo desacuerdo y lucharon entre ellos.

Como producto del movimiento revolucionario, se promulgó una nueva Constitución Política en febrero de 1917 donde se reconoció la libertad de expresión y los derechos sociales, como el derecho de huelga, el de organización de los trabajadores, y el derecho a la educación, entre otros.

El movimiento carrancista llegó a Chiapas con el general Jesús Agustín Castro, originario de Durango, quien traía el nombramiento de gobernador otorgado por Venustiano Carranza. Al entrar a Chiapas los carrancistas cometieron muchos atropellos como robos, muerte de personas inocentes. Esta no era la actitud de todos los carrancistas; sin embargo, al conocer el pueblo los actos cometidos, les dio temor y muchos campesinos decidieron engrosar las filas de los rebeldes o anticarrancistas, armados por los hacendados que defendían sus intereses. A este grupo rebelde se le conoció como "mapaches".

Entrada de los carrancistas a Chiapas.

Venustiano Carranza.

El plan constitucionalista demandaba mejores condiciones de vida para obreros y campesinos, así como el reparto de tierras, creación de escuelas, habitación para los trabajadores y que los peones y sirvientes dejaran de pagar las deudas a los hacendados.

Entre los chiapanecos simpatizantes del carrancismo estuvieron los que formaron el **regimiento** "Voluntarios de Cintalapa" y el batallón "Belisario Domínguez". Sobresalieron Luis Espinosa López, Victórico Grajales y Raymundo Enríquez.

Luis Espinosa. Victórico Grajales. Raymundo Enríquez.

1910	1913	1914
INICIO DE LA REVOLUCIÓN	TRAICIÓN DE HUERTA	LLEGADA DEL CARRANCISMO A CHIAPAS

- Con las indicaciones de tu maestro, platica con las personas mayores de tu comunidad. Pídeles que te comenten qué recuerdan acerca de la revolución en Chiapas, sobre la participación de los carrancistas y de los grupos anticarrancistas.

- Al ir escuchando, anota en tu cuaderno lo más importante de la plática.

- Lee en clase la información obtenida y coméntala con tus compañeros.

- *El gobierno constitucionalista intentó mejorar las condiciones de salud, economía, educación y vivienda de los obreros y campesinos.*

- *Para defenderse de los atropellos que cometieron algunos carrancistas, se formaron grupos rebeldes.*

REBELIONES ANTICARRANCISTAS

En Chiapas las ideas revolucionarias no fueron aceptadas por los hacendados, pues en su aplicación perjudicaban sus intereses, por ello, tomando como pretexto los atropellos cometidos por los carrancistas, organizaron rebeliones.

El 2 de diciembre de 1914 se firma el acta de Canguí a orillas del Río Grijalva, acto con el cual surge el movimiento mapachista conformado por hacendados y encabezado por Tiburcio Fernández Ruiz.

Tiburcio Fernández Ruiz.

Asimismo, otros grupos chiapanecos se levantaron en armas en Comitán, en el Soconusco y en los Altos de Chiapas; sin embargo, Venustiano Carranza siguió designando gobernadores para Chiapas, provocando el disgusto y las protestas de los pobladores. Para que la calma volviera a Chiapas, se efectuó la Junta Pacificadora. Por su parte, en la misma reunión, Tiburcio Fernández Ruiz pidió que se nombrara un nuevo gobernador civil, es decir, de origen chiapaneco y que no fuera militar.

En 1918, Venustiano Carranza envió a Salvador Alvarado para someter a los rebeldes. Alvarado convocó a otra Junta Pacificadora con mujeres que fueran familiares y simpatizantes de los "mapaches", reunión que no prosperó.

Otro movimiento de rebelión lo encabezó Alberto Pineda Ogarrio en los Altos de Chiapas. Para realizar sus planes se entrevistó con Tiburcio Fernández Ruiz, quien le encomendó la zona de Ocosingo.

Cansados de la guerra, una comisión pacificadora se dirigió al presidente de la República, quien nombró al general Alejo G. González para negociar la paz.

Finalmente se firmó el documento para la pacificación. Tiburcio Fernández Ruiz dio a conocer diez condiciones, entre las que se señalaban: respeto a la soberanía de Chiapas; un gobernador civil y chiapaneco; su reconocimiento como jefe de las fuerzas revolucionarias; un ferrocarril que atravesara el centro del estado; no cobrar los impuestos a los finqueros e iniciar pagos tres años después de celebrada la paz; dar parcelas rentadas a los campesinos en terrenos nacionales; impuesto de quince días laborales a todo varón de 16 a 60 años, para construcción y mantenimiento de vías de comunicación, y educación a cargo de los gobiernos estatal y federal.

Junta de mujeres familiares de los rebeldes.

La negociación no se llevó a efecto porque el general Alejo González intentó dominar la situación, sin embargo fracasó. Ante los sucesos nacionales los rebeldes obtuvieron mayor fuerza.

¿Cuáles fueron esos sucesos nacionales?

Obregón, oponiéndose a Carranza, lanzó el Plan de Agua Prieta; Tiburcio Fernández Ruiz se declaró obregonista adquiriendo mayor fuerza y formó la División Libre de Chiapas. Por esto se le reconoció como jefe del movimiento en el estado.

Venustiano Carranza fue asesinado en Tlaxcalantongo, Puebla, y Obregón asumió el poder. Así triunfó el movimiento mapachista, y el 27 de mayo de 1920 Tiburcio Fernández Ruiz entró a Tuxtla Gutiérrez ante el júbilo y la simpatía del pueblo. Obregón tomó posesión como presidente de la República, y Fernández Ruiz como gobernador de Chiapas.

Las acciones carrancistas no afectaron a los finqueros. Los campesinos y obreros volvieron a sus tareas. Fernández Ruiz inició su gobierno con el reparto de algunas tierras a los campesinos.

- *La rebelión anticarrancista fue encabezada por Tiburcio Fernández Ruiz quien formó el grupo "mapaches".*
- *El movimiento anticarrancista pidió respeto a la soberanía del estado de Chiapas, y el nombramiento de un gobernador civil y chiapaneco.*
- *Los "mapaches" triunfaron con el obregonismo.*

El carrancismo en Chiapas generó violencia.

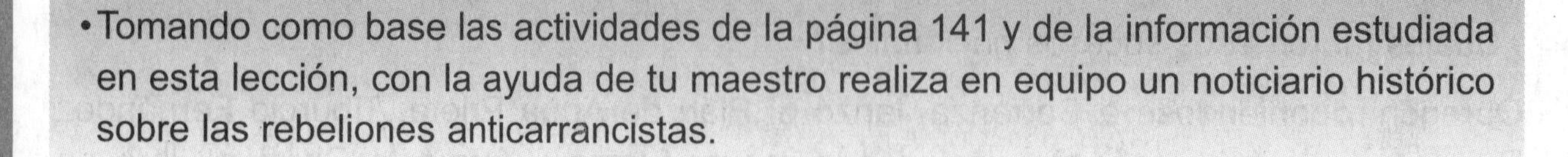

• Tomando como base las actividades de la página 141 y de la información estudiada en esta lección, con la ayuda de tu maestro realiza en equipo un noticiario histórico sobre las rebeliones anticarrancistas.

BIOGRAFÍA DE BELISARIO DOMÍNGUEZ

Comitán es la cuna de este gran patriota que nació el 25 de abril de 1863. Sus estudios hasta la preparatoria los realizó en su estado, y su carrera de médico cirujano, partero y oculista en la ciudad de París, Francia, donde vivió 10 años.

Como recordarás, en 1913, siendo representante de Chiapas en el Senado de la República, denunció a Victoriano Huerta de haber asesinado a Francisco I. Madero y a José María Pino Suárez, y de ser culpable de otros delitos, por ello propuso la destitución de Huerta como presidente de la República. Este hecho ocasionó que Belisario Domínguez fuera aprehendido y asesinado.

Casa-museo Belisario Domínguez en Comitán.

En la actualidad, orgullosamente la ciudad de Comitán lleva su apellido: Comitán de Domínguez. En esta población se fundó un museo en la casa donde él nació. En su honor, cada año el Senado de la República otorga la medalla "Belisario Domínguez" a los mexicanos que destacan por su buen desempeño en favor de la sociedad.

CHIAPAS EN NUESTRO TIEMPO

LA RECONSTRUCCIÓN

México y Chiapas han vivido cambios y avances en lo económico, político y social como resultado de un largo proceso histórico, en los que el pueblo ha participado en diferentes momentos, formas y situaciones.

Conquista, Independencia, Reforma y Revolución.

Durante el tiempo que duró el movimiento armado de la Revolución Mexicana, el país sufrió un gran deterioro; por ello, los gobiernos y el pueblo tuvieron que trabajar duramente para reconstruirlo y continuar fomentando su desarrollo.

A la fase que siguió al periodo revolucionario se le ha llamado *Etapa de reconstrucción*. Consistió en múltiples acciones para atender las necesidades de la población, tales como repartición de tierras, edificación de escuelas, hospitales, centros de salud, construcción de vías de comunicación y de viviendas, creación de industrias y aprovechamiento de los recursos naturales.

Chiapas, al igual que todo el país, ha pasado por etapas difíciles para lograr el desarrollo que hoy conoces. La siguiente línea del tiempo te muestra esas etapas.

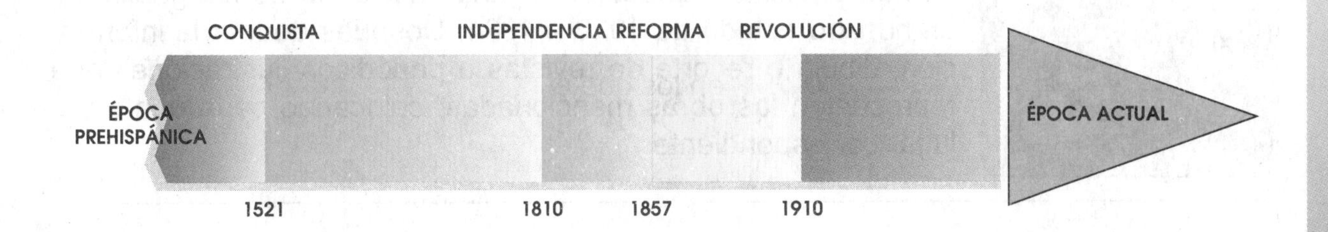

Principales etapas de la historia de México y de Chiapas.

En Chiapas se han alcanzado logros importantes, pero aún falta mucho por hacer para mejorar la vida de nuestro pueblo, de modo que lleguen más beneficios a quienes no los tienen, como a los campesinos y a los grupos indígenas.

- Investiga qué servicios públicos hay en tu comunidad. De los que no existen, ¿cuál es el más necesario?
- Ahora, observa la siguiente ilustración. Comenta con tu profesor y tus compañeros lo que ves.

Estos son algunos aspectos del Chiapas de nuestro tiempo.

LOS GOBERNANTES DE 1920 A 1964 Y SUS APORTACIONES

En la construcción de Chiapas han intervenido varios factores, además de los hechos y personajes que ya estudiaste. En la siguiente lección conocerás algunas acciones de los gobiernos en nuestro estado de 1920 a 1964. Después de leer la información, dibuja o recorta de revistas o periódicos ilustraciones que representen las obras mencionadas, colocando cada una en el lugar correspondiente.

Sesión legislativa.

Escuela rural.

Durante el periodo del general Tiburcio Fernández Ruiz, de 1920 a 1923, destacan entre otros logros, la reordenación de la administración del gobierno, elecciones locales para integrar la Cámara de Diputados, conformación del Tribunal Superior de Justicia y la reorganización de la Hacienda Pública.

Con el general Carlos A. Vidal, de 1925 a 1927, se construyeron caminos carreteros, además de impulsar la educación, la agricultura y el comercio.

Aviación en Chiapas.

Construcción de carreteras.

El gobierno del ingeniero Raymundo E. Enríquez, de 1928 a 1932, se distinguió por sus ideas agraristas repartiendo tierras a los campesinos. Estableció la primera empresa aeronáutica dirigida por el piloto Francisco Sarabia.

Caminos y escuelas fueron los servicios públicos que se atendieron prioritariamente durante la etapa del coronel Victórico R. Grajales, que gobernó de 1932 a 1936. Contribuyó a la construcción de la carretera internacional, y se creó la Junta Local de Caminos del estado.

Campesinos trabajando la tierra.

Hospital o centro de salud.

Los campesinos se organizaron a través de la Liga de Comunidades Agrarias del estado, para ser beneficiados con el reparto de tierras que se impulsó en el periodo de 1936 a 1940, siendo gobernador el ingeniero Efraín A. Gutiérrez Rincón.

La educación y la salud, las comunicaciones, la producción agrícola, los asuntos indígenas y culturales, merecieron atención especial en el periodo de 1940-1944 con el doctor Rafael Pascacio Gamboa.

Biblioteca municipal.

Camino de terracería.

En el periodo de gobierno de Juan M. Esponda se continuó con la construcción de escuelas y bibliotecas, así como la terminación de las carreteras a Pichucalco, Comitán, Motozintla y Panamericana.

La cultura y la construcción de la carretera Tuxtla-Villaflores y la turística al Sumidero, fue lo más sobresaliente del gobierno de 1948 a 1952 encabezado por el general e ingeniero Francisco J. Grajales.

Una parcela cultivada.

Tu deporte favorito.

Durante el periodo del licenciado Efraín Aranda Osorio, de 1952 a 1958, se dio atención al problema agrario, ocupando el primer lugar nacional en ampliaciones y dotaciones de parcelas ejidales, además se logró el aumento del presupuesto de la entidad.

El gobierno del doctor Samuel León Brindis, de 1958 a 1964, continuó con la urbanización de Tuxtla Gutiérrez, capital del estado, lográndose la construcción de la Casa de la Juventud, hoy Instituto del Deporte y la Juventud del Estado de Chiapas.

Los principales logros sociales en el desarrollo del estado, son el resultado del trabajo del pueblo en relación con sus gobernantes. La construcción de caminos, carreteras y escuelas, la organización de la administración pública, el reparto de tierras lo demuestran, sin embargo, todavía falta mucho por hacer.

Quizás te has divertido en las fiestas de tu comunidad o en los festivales de tu escuela, viendo o participando en bailes como "Las Chiapanecas", "Los Parachicos", "El Jabalí", "La Maruncha", "La Tortuga del Arenal", "El Bolonchón", "El Calalá", y algunos otros; o bien actuando en dramatizaciones, declamando, cantando o tocando algún instrumento musical.

Los Parachicos.

Probablemente te habrás dado cuenta que en tu comunidad permanecen algunas costumbres y tradiciones, como las festividades, los adornos, el vestido, las comidas, bebidas y dulces; los cuentos y leyendas, los juegos, la forma de hablar, de pensar, de trabajar, de construir las casas, y tantas otras cosas que seguramente tú conoces y vives.

• ¿Cuáles son algunas de las costumbres y tradiciones de tu comunidad? Consulta con personas mayores y escribe tus respuestas en los siguientes renglones:

Bailes	Leyendas	Festividades
___	___	___
___	___	___
___	___	___
___	___	___

Artesanías	Comidas	Bebidas y dulces
___	___	___
___	___	___
___	___	___
___	___	___

Platica con tu profesor y tus compañeros sobre lo que significa cada una de ellas.

Nuestra entidad tiene una gran riqueza de expresiones culturales, producto de nuestra **herencia indígena**, del **mestizaje** y de la influencia de otros pueblos.

Artesanías de Chiapas.

Con el fin de fomentar y conservar las expresiones culturales de Chiapas, se han creado instituciones como el Instituto Chiapaneco de Cultura, casas de cultura y de artesanías, museos, bibliotecas, teatros, misiones culturales, radio comunidad indígena, asociaciones científicas, instituciones educativas, estaciones de radio y televisión, entre otras.

Dentro de la riqueza cultural de Chiapas, la marimba es el instrumento musical por excelencia. El teatro, el cuento, la novela, la poesía, la pintura, la danza y la variada artesanía, son otras manifestaciones de la cultura que enorgullecen a nuestro pueblo.

Premio Chiapas.

Varios chiapanecos han destacado a nivel nacional e internacional. En reconocimiento a esa labor y a la de personas que han realizado alguna obra importante para la entidad, el gobernador Francisco J. Grajales, en 1951, decretó el "Premio Chiapas" para fomentar y estimular el desarrollo científico y artístico.

- *Nuestro pueblo se ha nutrido de la herencia cultural de indígenas, españoles y mestizos generando diversas expresiones que nos enorgullecen.*
- *La marimba es el instrumento musical más arraigado en la identidad chiapaneca.*

BIOGRAFÍA DE JOSÉ EMILIO GRAJALES

Este médico y poeta nació en Chiapa de Corzo el 11 de marzo de 1872 y murió en la finca La Sombra, del municipio de Villaflores, el 16 de mayo de 1915. Su obra "Himno a Chiapas" le dio un lugar en la historia del pueblo chiapaneco.

José Emilio Grajales escribió la letra del himno por invitación del profesor Miguel Lara Vassallo, de origen oaxaqueño, quien fue autor de la música. El himno fue ejecutado por vez primera el 8 de diciembre de1913.

Desde entonces, en festividades cívicas y en escuelas de la entidad, se entona el Himno a Chiapas, en el que expresamos el llamado a mantener la paz entre los chiapanecos y marchar hacia el progreso.

José Emilio Grajales figura también como destacado escritor romántico. En la belleza de su obra literaria resaltan las siguientes: *Flores silvestres*, *Invocación*, *Oh, mi casita*, *Los bueyes*, *Los chamulas*, *Cita* y *Venganza*.

HIMNO A CHIAPAS

Letra: Dr. José Emilio Grajales.
Música: Profr. Miguel Lara Vassallo.

CORO

Compatriotas que Chiapas levante
Una oliva de paz inmortal
y marchando con paso gigante
a la gloria camine triunfal.

ESTROFAS

I

Cesen ya de la angustia las penas
los momentos de triste sufrir,
que retornen las horas serenas
que prometen feliz porvenir.

Que se olvide la odiosa venganza,
que termine por siempre el rencor,
que una sea nuestra hermosa esperanza
y uno solo también nuestro amor.

II

Contemplad esos campos desiertos
que antes fueron florido vergel,
están tristes y mudos y yertos,
arrasados por lucha tan cruel.

No la sangre fecunda la tierra
ni al hermano es glorioso matar,
si es horrible entre extraños la guerra
a la patria es infame acabar.

III

Chiapaneco la paz os reclama
y el trabajo también y la unión,
que el amor como fúlgida llama
os inflame el cruel corazón.

Vuestro arrojo guardad, quizá un día
una hueste extranjera vendrá.
¿Quién entonces con gran bizarría
de la patria el honor, salvará?

IV

Chiapanecos, unid vuestras manos
y un anhelo tened nada más,
de estimaros cual nobles hermanos
sin pensar en los odios jamás.

No hay un pueblo que sea tenebroso
en la tierra que viónos nacer,
que de Chiapas el nombre glorioso
con respeto se diga doquier.

GLOSARIO

ACTA DECLARATORIA — Documento que contiene un acuerdo.

ALCALDÍAS MAYORES — Gobernantes de los distritos de españoles donde se impartía justicia social.

ANARQUÍA — Falta de cumplimiento de las leyes por no haber autoridad.

ARCABUZ — Arma de fuego parecida a los rifles actuales, usada por los españoles durante sus conquistas.

ARMONÍA — Vivir en amistad. Llevarse bien con los demás.

ARQUEÓLOGOS — Personas que estudian el pasado de una sociedad por medio de los restos de monumentos, herramientas y otros objetos.

AUDIENCIA DE LOS CONFINES — Gobierno que representaba a España y gobernaba los pueblos que estaban en lo que hoy se llama Chiapas, Yucatán, Cozumel, Honduras, Nicaragua y Guatemala.

BENEMÉRITO — Persona digna de reconocimiento por sus buenos actos.

CAMINOS DE HERRADURA — Caminos angostos y pedregosos. En ellos pasan los caballos, mulas y burros.

CAMINOS DE TERRACERÍA — Son los que tienen una capa de arena o grava, en donde pueden circular camiones o camionetas.

CARDAMOMO — Planta de fruto pequeño utilizada en la fabricación de chicle.

CASTAS — Grupos sociales formados por la unión de blancos, indígenas y negros.

CENTROS CEREMONIALES — Lugares destinados para realizar actos religiosos en los pueblos prehispánicos.

CONGRESO CONSTITUYENTE Diputados reunidos para elaborar la Constitución Política del país.

CONFLICTO Situación de dificultad y peligro.

CONSTITUCIÓN POLÍTICA Conjunto de leyes que se refieren a los derechos y obligaciones de las personas en un estado o país.

CONVICCIÓN Tener la seguridad de algo.

E

ENCOMENDEROS Españoles que recibían tierras e indígenas para explotarlos.

ESCLAVITUD Pérdida de la libertad de los indígenas que fueron maltratados y explotados.

EVOCA Que recuerda algo.

EXCAVACIONES Zanjas que se abren con el propósito de desenterrar restos antiguos.

EXTINCIÓN Desaparición o terminación de algo.

EXPEDICIÓN Recorrido realizado por los conquistadores españoles en busca de nuevas tierras.

F

FLANCOS Diferentes lados por donde se puede atacar al enemigo.

FORTALEZAS Construcciones que sirven como defensa en un combate.

HERENCIA INDÍGENA Conocimientos y tradiciones de los pueblos indígenas que permanecen hasta nuestros días.

INSURGENTE Nombre que se le da a las personas que intervinieron en la lucha por la independencia.

INTENDENCIA Unidad administrativa en que se dividió la Nueva España y estaba encargada de impartir justicia y recibir impuestos.

INTERESES — Pertenencias, riquezas, negocios o asuntos de una o más personas.

INVIOLABLES — Se dice de las leyes que deben cumplirse y respetarse.

LADINOS — Nombre que los indígenas daban a los españoles y a los hijos de españoles.

LEGISLATURA — Nombre que se le da a la Cámara de Diputados y se encarga de modificar las leyes.

MAGISTRADOS — Autoridades que vigilan el cumplimiento de las leyes.

MESTIZAJE — Personas nacidas de la unión de españoles con indígenas o negros.

NATIVOS — Indígenas originarios de Chiapan o Soctón Nandalumí.

NO REELECCIÓN — No volver a ser electo para el mismo cargo.

ORGANIZACIÓN — Acto de disponer las cosas de manera ordenada.

PARTE MILITAR — Documento en donde se le informa a la autoridad sobre el desarrollo de la batalla.

PECTORALES — Adornos que usaban los mayas en el pecho.

PODER PÚBLICO — Es el poder del pueblo depositado en sus gobernantes.

PRETENSIONES EXPANSIONISTAS — Deseos de hacer más grande su propio territorio.

PROMULGÓ — Publicó o dio a conocer para que se cumpliera.

PUNTOS CARDINALES — Los cuatro puntos básicos que usa el hombre para orientarse: norte, sur, este y oeste.

RAEDERAS — Instrumentos para raspar pieles, madera y huesos.

REALISTAS — Soldados al servicio del rey de España durante la lucha de independencia.

REGIDORES — Personas que son elegidas para formar parte de un gobierno municipal.

RÉGIMEN — Modo de gobernar.

REGIMIENTO — Grupo de hombres que participaron como soldados.

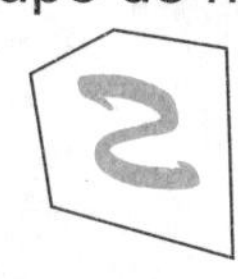

SEDENTARIO — Persona que permanece en un lugar por mucho tiempo.

SER VOTADO — Ser elegido para ocupar un cargo.

SÍMBOLOS — Objetos o señales que tienen un significado.

SÍNDICO — Persona elegida para formar parte del gobierno municipal.

SOBERANOS — Así se les dice a los estados que tienen libertad de decidir lo que les conviene hacer.

SUMISIÓN — Obedecer sin protestar lo que le ordena otra persona.

TESTIMONIOS — Pruebas de que existió o existen esas obras.

USURPADOR — Persona que ocupa un cargo que no le corresponde.

UTENSILIOS — Objetos o cosas que se usan para trabajar.

Chiapas
Historia y Geografía. Tercer grado
Se imprimió por encargo de la
Comisión Nacional de Libros de Texto Gratuitos,
en los talleres de Encuadernaciones de Oriente, S.A. de C.V.,
con domicilio en Calle E. núm. 6, Parque Industrial Puebla 2000,
C.P. 72220, Puebla, Pue., el mes de marzo de 2001.
El tiraje fue de 129,600 ejemplares
más sobrantes de reposición.